EL ZARCO

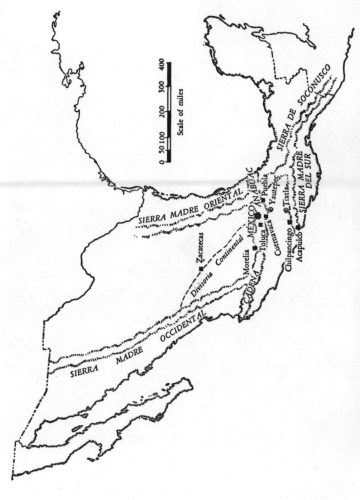

Situación de las principales ciudades mencionadas en el texto.

EL ZARCO

EPISODIOS DE LA
VIDA MEXICANA EN 1861–1863

por

IGNACIO MANUEL ALTAMIRANO

Edited with notes and vocabulary by
RAYMOND L. GRISMER, Ph.D.
University of Minnesota *and*
MIGUEL RUELAS, University of
San Francisco : : Illustrated by
XAVIER MARTÍNEZ SUÁREZ

W. W. NORTON AND COMPANY, Inc.
NEW YORK

PRINTED IN THE UNITED STATES OF AMERICA
BY THE VAIL-BALLOU PRESS, INC., BINGHAMTON, N. Y.
3456789

TO MOTHER

Contents

CONTENTS

List of Maps and Illustrations

Preface

IT IS the hope of the editors of this text that students of the United States may enjoy this stirring story of Mexico as much as they have enjoyed its preparation. Every effort has been made to clear away difficulties so that the story may awaken the interest and enthusiasm of the student. It was the singular good fortune of the editors to prevail upon Xavier Martínez Suárez to illustrate the text, even though the artist wrote, after reading Altamirano's novel, that the work did not need illustrations, "Hay libros que no requieren ilustraciones. *El Zarco* es uno de ellos, con descripciones tan gráficas que el lector con mediana imaginación ve cuadro tras cuadro de palpitante drama."

To reduce this novel to the usual length of a reader for Spanish classes, the editors have omitted certain parts, notably longer descriptions. Also, some of the sentences of the text have been changed in order to simplify difficult constructions or to omit extraneous material.

The editors wish to thank Mildred B. Grismer for assistance in typing the manuscript, Annobelle Andresen for help in preparing the vocabulary, Mr. Emmert M. Brackney for correcting the proofs, and Professor Caroline Bourland for her scholarly suggestions.

Introduction — The Historical Setting

IN DECEMBER, 1860, the decisive victory of Calpulalpam put an end to a civil war in Mexico, called the War of Reform, by means of which the victorious side effected the separation of Church and State. After the war its inevitable product, banditry, flourished, although President Juárez, leader of the Liberal Party, tried to restore law and order. He undertook the persecution of the outlaws in 1861 but, when funds of the treasury were exhausted, he found it necessary to suspend these costly efforts.

In 1862 the failure of the Mexican Government to meet the payments on its foreign debts caused another war, the War of Intervention.

Between these two wars, in 1861, the campaign for law and order was a semi-armistice, and it is in this period that the action of *El Zarco* takes place.

Banditry had reached enormous proportions on account of the chaotic condition of the country and the helplessness of the central government. The bandits were organized in well armed groups which were the terror of villages and ranches and which imposed their will on the hapless people of the country districts.

One of these bands operated in the tropical region near the City of Mexico. Because of the extravagant use of silver ornaments on the clothes of members of this band and on the saddles and trappings of their horses they were called *Plateados* (covered with silver). A chief of the *Plateados,* one of the principal characters of this novel, bore the nickname of *El Zarco* because his eyes were of a striking light blue color (*zarco*).

El Zarco is an historical figure, as are his opponents, Martín Sánchez Chagollán, the generals Leonardo Márquez and González Ortega, and President Juárez. Most of the episodes which take place in and about the village of Yautepec have as historical bases similar incidents in the conflict between the people and the bandits.

General González Ortega, a Liberal leader, conquered the champion of the Conservatives, General Miguel Miramón, at the battle of Calpulalpam, but another of the Conservative chieftains, General Leonardo Márquez, refused to yield and suddenly threatened the capital from the south with a hastily raised army. Ortega sallied forth to meet him, put him to rout, and, in pursuit, penetrated deep into the district which is the theatre of action in this novel. To strengthen his forces for this campaign, Ortega accepted the aid of chiefs of armed bands who offered their services, an old custom in the civil wars of Mexico. Thus it was that El Zarco served for some time under the orders of the champion of reform. Later, when persecuted by his former commander, the bandit left the district only to return as soon as the government troops were withdrawn.

The Author

THE AUTHOR of this work, Ignacio Manuel Altamirano, was an eye-witness to most of the events mentioned above and took part in the War of Reform on the side of the Liberal Party, both in campaigns and in office. When the French invaded the Mexican Republic, he served in the Army of the South fighting against the intervention and was present at the siege and capture of Querétaro where the Archduke Maximilian of Austria was captured and shot. Thus Altamirano was very familiar with the region which he describes to us as well as the character and habits of the people who live there. He was personally acquainted with Martín Sánchez Chagollán, the defender of society who wreaked just vengeance on the members of the band of El Zarco.

Altamirano, a full-blooded Aztec Indian, was born in 1834 in Tixtla in the heart of the mountains of the south so well beloved by him. His parents, Francisco and Gertrudis Altamirano, were highly respected citizens of the little town in which he was born. The family surname came from a Spaniard who, when he baptized an ancestor of theirs, had given the Indian his name.

The place of Altamirano's birth is not near the principal centres of population. Tixtla, which belonged to the State of Mexico in the lifetime of Altamirano, though it is now in the State of Guerrero, was several days' journey from Mexico City, a mountain range forming an effective barrier between the two. Nevertheless, after a little preliminary schooling which he received in Tixtla owing to the fact that his father was then *alcalde*, Altamirano succeeded in going to the capital of the state, Toluca, to continue his studies in the Instituto Literario. Through competitive examination he won a scholarship, amounting to the cost of his tuition, which was paid by the public treasury. At that time the Director of the Institute was the celebrated scholar and philosopher, don Ignacio Ramírez. The story is told that, attracted by the eloquence of this teacher, the young Indian seated himself in the doorway to listen to him eagerly. A prefect saw him there one day and ordered him to go away as he might disturb the teacher, but the latter, upon learning the facts of the case, intervened in Altamirano's favor and invited him to become a member of the class.

Ramírez took particular interest in his Indian pupil, teaching him literature and advising him in the composition of his first efforts in prose and verse. Altamirano made such notable progress that he did not lack patrons to defray the expenses of professional studies. So it was that, in spite of his poverty, he went from the Instituto Literario of Toluca to the Colegio de San Juan de Letrán in Mexico City. In the midst of his studies he served in the revolution of 1854, returning to school to finish his study of law and receiving in 1859 the title of *abogado*.

When Altamirano finished his studies, Mexico was engaged in the War of Reform. His convictions placed him on the side of the Liberal Party, and, when his native state sent him to Congress, his natural eloquence and his brilliant articles placed him among the leaders of the party.

The French intervention which began in 1862 and ended in 1867 forced the suspension of Congress and the abandonment of Mexico City by the political leaders. Altamirano took active part in the War of Intervention and, after the fall of Maximilian, returned to the capital as Attorney-General of the Supreme Court at the age of thirty-three.

The next twenty-two years of his life were spent in feverish activity as a newspaper correspondent, novelist, and poet. "Durante más de veintidós años fué Altamirano el adalid más famoso de las letras patrias: hizo cumplida justicia a los merecimientos de sus mismos enemigos políticos, obligóles con tacto exquisito a abandonar el retiro a que voluntariamente se habían condenado y publicó y encomió sus producciones; los sentó en las nuevas academias para que compartiesen con la nueva pléyade los goces y las amarguras de la vida del espíritu y al propio tiempo alentó a los que por timidez no se atrevían a presentar al público sus ensayos." [1]

Thus showing a noble spirit of conciliation after the triumph of his party, Altamirano, who had fought the Conservatives with such vigor, now encouraged that group of writers of both parties who so enriched Mexican literature in the second half of the last century. His highest aspiration was the creation of a national literature and, working toward this goal with characteristic ardor, he succeeded in awakening a great enthusiasm for Mexico, her people, and their customs. Setting the example himself he wrote among other works *El Zarco,* the first thirteen chapters of which he read at the meetings of the Liceo Hidalgo. Based on episodes of national history, the story aroused the keenest interest in his audience.

Altamirano founded, directed, or wrote for numerous papers during his years of political and literary activity. Some of these papers are:

> El Eco de la Reforma
> La Voz del Pueblo
> El Correo de México
> El Siglo XIX
> El Renacimiento
> La Iberia
> La República
> La Voz de México
> El Nuevo Mundo (San Francisco, California)

In the latter part of his life Altamirano retired from politics, though he acted as Consul General to Spain in 1889

[1] Francisco Sosa in his prologue to the first edition of *El Zarco,* Mexico, 1900.

and later to France. He went to San Remo for his health but died there in 1893. *El Zarco* is a posthumous work, published seven years after his death.

BIBLIOGRAPHY OF THE PRINCIPAL WORKS OF ALTAMIRANO

Cuentos de invierno. Clemencia, Mexico, 1869, Imprenta de F. Díaz de León.

    Cuentos de invierno first appeared in *El Correo de México* in 1867, and in *El Renacimiento* in 1869.

    Clemencia first appeared in *El Renacimiento.*

Cuentos de invierno. Las tres flores. Julia, La navidad en las montañas, Clemencia, 3a ed., Mexico, 1880, Tipografía litográfica de Filomeno Mata.

    Julia first appeared in *El Siglo XIX* as *Una noche de julio.*

    La navidad en las montañas first appeared in *La Iberia.*

La navidad en las montañas, 5a ed., Paris, 1891, Biblioteca de la Europa y América.

Cuentos de invierno. Clemencia, Paris, 1907, Viuda de Charles Bourget.

La navidad en las montañas, with introduction, notes and vocabulary by Edith A. Hill and Mary J. Lombard, Boston, 1917, D. C. Heath and Co.

El Zarco (Episodios de la vida mexicana en 1861–3), with a prologue by Francisco Sosa, Mexico, 1901, J. Ballescú y Compañía.

El Zarco (Episodios de la vida mexicana en 1861–3), with a prologue by Francisco Sosa, Barcelona, 1901, Tipografía de Salvat e hijo.

Rimas, 3a ed., Mexico, 1880, Tipografía litográfica de Filomeno Mata.

    Rimas first appeared in *El Domingo, La Voz de la Juventud,* and *El Liceo Mexicano.*

Rimas, 4a ed., Mexico, 1885, Oficina tipográfica de la Secretaría de Fomento.

Obras (Rimas, artículos literarios), Mexico, 1899, Imprenta de V. Agüeros.

Rimas (A orillas del mar. Idilios. A una Sombra. Cinerarias.), Paris, 1903, Viuda de Charles Bourget.

Biografía de Ignacio Ramírez, Mexico, 1889, Oficina tipográfica de la Secretaría de Fomento.

Revistas literarias de México, Mexico, 1868, F. Díaz de León y Santiago White, impresores.

Revistas literarias en México, 2a ed., Mexico, 1868, Imprenta de T. F. Neve.

Revistas literarias, Mexico, 1883, Imprenta Polyglota.

Revista literaria y bibliográfica, Mexico, 1884, in *Primer Almanaque Histórico, Artístico y Monumental de la República Mexicana.*

Revista histórica y política, Mexico, 1884, in *Primer Almanaque Histórico*, etc.

Paisajes y leyendas, tradiciones y costumbres de México, Mexico, 1884, Imprenta y Litografía Española.

Boletín bibliográfico, Mexico, 1869, in *El Renacimiento*, vol. I.

Crónicas de la semana, articles in *El Renacimiento* (1869) and *El Siglo XIX* (1870).

El salón en 1879–80, Mexico, 1880, Imprenta de Francisco Díaz de León.

Discursos (27 speeches delivered at various times and places), Paris, 1892, Biblioteca de la Europa y la América.

Discursos, Mexico, 1916, Imprenta Victoria.

In addition, numerous articles, introductions, prologues, reviews in books and newspapers.

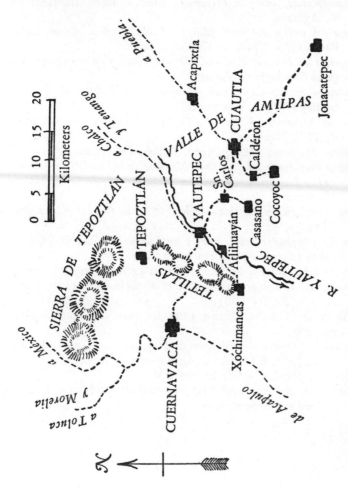

en el texto. Yautepec y sus alrededores, con los principales lugares citados

I. Yautepec

YAUTEPEC ES una población de la tierra caliente, cuyo caserío se esconde en un bosque de verdura.

De lejos, si uno llega de Cuernavaca por el camino quebrado de las Tetillas, que serpentea en medio de dos colinas rocallosas, o si desciende de la fría y empinada 5 sierra de Tepoztlán por el lado norte, o la descubre por el sendero llano que viene del valle de Amilpas por el oriente, atravesando las ricas y hermosas haciendas de caña de Cocoyoc, Calderón, Casasano y San Carlos, siempre se contempla a Yautepec como un 10 inmenso bosque por el que sobresalen apenas las torrecillas de su iglesia parroquial.

De cerca, Yautepec presenta un aspecto original y pintoresco. Es un pueblo mitad oriental y mitad americano. Oriental, porque los árboles que forman ese 15 bosque, de que hemos hablado, son naranjos y limoneros, grandes, frondosos, cargados siempre de frutos y de azahares que embalsaman la atmósfera con sus aromas embriagadores. Naranjos y limoneros por donde quiera, con extraordinaria profusión. Diríase que allí 20 estos árboles son el producto espontáneo de la tierra; tal es la exuberancia con que se dan, agrupándose, estorbándose, formando ásperas y sombrías bóvedas en las huertas grandes o pequeñas que cultivan todos los

1

vecinos, y rozando con sus ramajes de un verde brillante
y obscuro y cargados de pomas de oro los aleros de teja
o de bálago de las casas.

Verdad es que este conjunto oriental se modifica en
parte por la mezcla de otras plantas americanas, pues   5
los bananos suelen mostrar allí sus esbeltos troncos y
sus anchas hojas, y los mameyes y otras zapotáceas
elevan sus enhiestas copas sobre los bosquecillos, pero
los naranjos y limoneros dominan por su abundancia.

Un río apacible de linfas transparentes y serenas, que   10
no es impetuoso más que en las crecientes del tiempo
de lluvias, divide el pueblo y el bosque, atravesando la
plaza, lamiendo dulcemente aquellos cármenes y dejándose robar sus aguas por numerosos canales que las
dispersan en todas direcciones. Ese río es verdade-   15
ramente el dios fecundador de la comarca y el padre de
los dulces frutos que nos refrescan, durante los calores
del estío, y que alegran las fiestas populares en México
por todo el año.

II. *El Terror*

APENAS ACABABA de ponerse el sol, un día de   20
agosto de 1861, y ya el pueblo de Yautepec parecía
estar envuelto en las sombras de la noche. Tal era el
silencio que reinaba en él. Los vecinos, que regularmente en estas bellas horas de la tarde, después de
concluir sus tareas diarias, acostumbraban siempre salir   25
a respirar el ambiente fresco de las calles, o a tomar
un baño en las pozas y remansos del río, o a discurrir
por la plaza o por las huertas, en busca de solaz,
hoy no se atrevían a traspasar los dinteles de su casa, y

por el contrario, antes de que sonara en el campanario
de la parroquia el toque de oración, hacían sus provisiones de prisa y se encerraban en sus casas, como si
hubiese epidemia, palpitando de terror a cada ruido
que oían.

México había sufrido en esa época largos años de
guerra civil, y como resultado de ella existían muchos
grupos indisciplinados de gente armada, que formaban
cuadrillas de bandidos.

Y es que a esas horas, en aquel tiempo calamitoso,
comenzaba para los pueblos en que no había una fuerte
guarnición, el peligro de un asalto de los bandidos.
Así, pues, el vecindario de Yautepec vivía en esos
tiempos siempre medroso, tomando durante el día la
precaución de colocar vigías en las torres de sus iglesias,
para que diesen aviso oportuno de la llegada de alguna
partida de bandoleros a fin de defenderse en la plaza,
en alguna altura o de parapetarse en sus casas. Pero
durante la noche, esa precaución era inútil, como
también lo era el apostar escuchas o avanzadas en las
afueras de la población, pues se habría necesitado ocupar para ello a numerosos vecinos inermes que, aparte
del riesgo que correrían de ser sorprendidos, eran
insuficientes para vigilar los muchos caminos y veredas
que conducían al poblado y que los bandidos conocían
perfectamente.

Además, hay que advertir que los plateados contaban
siempre con muchos cómplices y emisarios dentro de
las poblaciones y de las haciendas, y que las pobres
autoridades, acobardadas por la falta de elementos de
defensa, se veían obligadas, cuando llegaba la ocasión,
a entrar en transacciones con ellos, contentándose con
ocultarse o con huir para salvar la vida.

A veces los plateados establecían un centro de operaciones, una especie de cuartel general, desde donde uno o varios jefes ordenaban los asaltos y los plagios y dirigían cartas a los hacendados y a los vecinos acomodados, pidiendo dinero, cartas que era preciso obsequiar so pena de perder la vida sin remedio. Allí también solían tener los escondites en que encerraban a los plagiados, sometiéndolos a los más crueles tratamientos.

Por el tiempo de que estamos hablando, ese cuartel general de bandidos, se hallaba en Xochimancas, hacienda antigua y arruinada, no lejos de Yautepec y situada a propósito para evitar una sorpresa.

Semejante vecindad hacía que los pueblos y haciendas del distrito se encontrasen por aquella época bajo la presión de un terror constante.

III. *Las Dos Amigas*

EN EL patio interior de una casita de pobre pero graciosa apariencia, que estaba situada a las orillas de la población y en los bordes del río, con su respectiva huerta de naranjos, limoneros y platanares, se hallaba tomando el fresco una familia compuesta de una señora de edad y de dos jóvenes muy hermosas, aunque de diversa fisonomía.

La una como de veinte años, con esa blancura un poco pálida de las tierras calientes, de ojos obscuros y vivaces y de boca encarnada y risueña, tenía algo de soberbio y desdeñoso que le venía seguramente del corte ligeramente aguileño de su nariz, del movimiento frecuente de sus cejas aterciopeladas, de lo erguido de su cuello robusto y bellísimo o de una sonrisa más bien burlona que benévola. Estaba sentada en un banco rústico y muy entretenida en enredar en las negras y sedosas madejas de sus cabellos una guirnalda de rosas blancas y de caléndulas rojas.

La otra joven tendría diez y ocho años; era morena, con el tono suave y delicado de las criollas que se alejan del tipo español, sin confundirse con el indio, y que denuncia a la hija humilde del pueblo. Pero en sus ojos grandes, y también obscuros, en su boca que dibujaba una sonrisa triste siempre que su compañera decía alguna frase burlona, en su cuello inclinado, en su cuerpo frágil y que parecía enfermizo, en el conjunto todo de su aspecto, había tal melancolía que desde luego podía comprenderse que aquella niña tenía un carácter diametralmente opuesto al de la otra.

Ésta colocaba también lentamente y como sin voluntad en sus negras trenzas, una guirnalda de azahares, sólo de azahares, que se había complacido en cortar entre los más hermosos de los naranjos y limoneros, por cuya operación se había herido las manos, lo que le atraía las chanzonetas de su amiga.

—Mira, mamá, —dijo la joven pálida, dirigiéndose a la señora mayor que cosía sentada en una pequeña silla de paja, algo lejos del banco rústico; —mira a esta tonta, que no acabará de poner sus flores en toda la tarde; ya se lastimó las manos por el empeño de no cortar más que los azahares frescos y que estaban más altos, y ahora no puede ponérselos en las trenzas. Y es que a toda costa quiere casarse, y pronto.

—¿Yo?— preguntó la morena alzando tímidamente los ojos como avergonzada.

—Sí, tú,— replicó la otra, —no lo disimules; tú sueñas con el casamiento; no haces más que hablar de

ello todo el día, y por eso escoges los azahares de
preferencia. Yo no, yo no pienso en casarme todavía,
y me contento con las flores que más me gustan. Además, con la corona de azahares parece que va una a
vestirse de muerta. Así entierran a las doncellas.   5

—Pues tal vez así me enterrarán a mí, —dijo la
morena, —y por eso prefiero estos adornos.

—¡Oh! niñas, no hablen de esas cosas, —exclamó
la señora en tono de represión. —Estar los tiempos
como están y hablar ustedes de cosas tristes, es para   10
aburrirse. Tú, Manuela, —dijo dirigiéndose a la joven
altiva, —deja a Pilar que se ponga las flores que más
le cuadren y ponte tú las que te gustan. Al cabo, las
dos estáis bonitas con ellas . . . y como nadie las ve,
—añadió, dando un suspiro . . .   15

—¡Ésa es la lástima! —dijo con expresivo acento
Manuela. —Ésa es la lástima, —repitió; —que si
pudiéramos ir a un baile o siquiera asomarnos a la
ventana . . . ya veríamos . . .

—Bonitos están los tiempos, —exclamó amargamente   20
la señora, —lindos, para andar en bailes o asomarse a
las ventanas. ¿Para qué querríamos más fiesta? ¡Dios
nos ampare! Conque, ¡trabajos tenemos para vivir
escondidas y sin que sepan los plateados que existimos!
No veo la hora de que venga mi hermano de México   25
y nos lleve, aunque sea a pie. No puede vivirse ya en
esta tierra. Me voy a morir de miedo un día de éstos.
Ya no es vida la que llevamos en Yautepec. Por la
mañana, sustos si suena la campana, y a esconderse en
la casa del vecino o en la iglesia. Por la tarde, apenas   30
se come de prisa, nuevos sustos, si suena la campana o
corre la gente; por la noche a dormir con sobresalto, a
temblar a cada tropel, a cada ruido, a cada pisada que

se oye en la calle, y a no pegar los ojos en toda la
noche si suenan tiros o gritos. ¡Es imposible vivir de
esta manera! Díganme ustedes si esto es vida; no, es
el infierno ... yo estoy mala del corazón.

La señora concluyó así, derramando gruesas lágrimas, 5
su descripción de la vida que llevaba, y que por
desgracia no era sino muy exacta.

Manuela, que se había puesto encendida cuando oyó
estas palabras, se conmovió al oír que la buena señora
se quejaba de estar mala del corazón. 10

—Mamá, tú no me habías dicho que estabas mala
del corazón. ¿Te duele de veras? ¿Estás enferma?
—le preguntó acercándose con ternura.

—No, hija, enferma no; no tengo nada, pero digo
que semejante vida me aflige, me entristece y acabará 15
por enfermarme realmente. Lo que es enfermedad,
gracias a Dios que no tengo, y ésa al menos es una
fortuna que nos ha quedado en medio de tantas desgracias que nos han afligido desde que murió tu padre.
Pero al fin con tantas zozobras, con tantos sustos diarios, 20
con el cuidado que tú me causas, tengo miedo de perder
la salud. Todos me dicen: —"Doña Antonia, esconda
usted a Manuelita o mándela usted a México o a Cuernavaca. Aquí está muy expuesta, es muy bonita, y si la
ven los plateados, si algunos de sus espías de aquí les 25
dan aviso, son capaces de caer una noche sobre la
población y llevársela." Todos me dicen esto; el señor
cura mismo me lo ha aconsejado; el prefecto, nuestros
parientes, no hay una alma bendita que no me diga
todos los días lo mismo, y yo estoy sin consuelo, sin 30
saber qué hacer ... sola ... sin más medios de que
vivir que esta huerta, que es la que me tiene aquí, y
sin más amparo que mi hermano a quien ya acabo a

cartas, pero que se hace el sordo. Ya ves, hija mía, cuál es la espina que tengo siempre en el corazón y que no me deja ni un momento de descanso. Si mi hermano no viniera, no nos quedaría más que un recurso para libertarnos de la desgracia que nos está amenazando. 5

—¿Cuál es, mamá? —preguntó Manuela sobresaltada.

—El de casarte, hija mía, —respondió la señora con acento de infinita ternura.

—¿Casarme? ¿Y con quién? 10

—¿Cómo, con quién? —replicó la madre, en tono de dulce reconvención. —Tú sabes muy bien que Nicolás te quiere, que se consideraría dichoso si le dijeras que sí, que el pobrecito hace más de dos años que viene a vernos día con día, sin que le estorben ni 15 los aguaceros, ni los peligros, ni tus desaires tan frecuentes y tan injustos, y todo porque tiene esperanzas de que te convenzas de su cariño, de que te ablandes, de que consientas en ser su esposa . . .

—¡Ah! en eso habíamos de acabar, mamacita, —in- 20 terrumpió vivamente Manuela, que desde las últimas palabras de la señora no había disimulado su disgusto; —debí haberlo adivinado desde el principio; siempre me hablas de Nicolás; siempre me propones el casamiento con él, como el único remedio de nuestra mala 25 situación, como si no hubiera otro . . .

—¿Pero cuál otro, muchacha?

—El de irnos a México con mi tío, el de vivir aquí como hasta ahora, escondiéndonos cuando hay peligro.

—Pero ¿tú no ves que tu tío no viene, que nosotras 30 no podemos irnos solas a México, que confiarnos a otra persona es peligrosísimo en estos tiempos, en que los caminos están llenos de plateados, que podrían tener

aviso y sorprendernos? . . . porque se sabría nuestro
viaje con anticipación.

—Pues entonces, mamá, seguiremos como hasta aquí
que éstas no son penas del infierno; algún día acabarán,
y mejor me quedaré para vestir santos . . .   5

—¡Ojalá que ése fuera el único peligro que corrieras,
el de quedarte para vestir santos! —contestó la señora
con amargura. —Pero lo cierto es que no podemos
seguir viviendo así en Yautepec. Éstas no son penas
del infierno efectivamente, y aun creo que se acabarán   10
pronto, pero no favorablemente para nosotras. Mira,
—añadió bajando la voz con cierto misterio, —me han
dicho que desde que los plateados han venido a establecerse en Xochimancas, y que estamos más inunda-
dos que nunca en este rumbo, han visto muchas veces   15
a algunos de ellos, disfrazados, rondar nuestra calle, de
noche; que ya saben que tú estás aquí, aunque no sales
ni a misa; que han oído mentar tu nombre entre ellos;
que los que son sus amigos aquí han dicho varias veces:
"Manuelita ha de parar con los plateados." "Un día   20
de éstos, Manuelita ha de ir a Xochimancas"; con otras
palabras parecidas. Mis comadres, mis parientes, ya te
conté, el señor cura mismo me ha encontrado y me ha
dicho: "Doña Antonia, pero, ¿en qué piensa usted que
no ha transportado ya a Manuelita a Cuernavaca o   25
Cuautla, a alguna hacienda grande? Aquí corre mucho
riesgo con los malos. Sáquela usted, señora, sáquela
usted, o escóndala debajo de la tierra, porque si no, va
usted a tener una pesadumbre un día de éstos." Y a
cada consejo que me dan, me clavan un puñal en el   30
pecho. Ya verás tú si podemos vivir de este modo
aquí.

—Bueno, —replicó Manuelita no dándose por ven-

cida, —y aun suponiendo que así sea, mamá, ¿qué
lograríamos casándome con Nicolás?

—¡Ay, hija mía! lograríamos que tomaras estado y
que te pusieras bajo el amparo de un hombre de bien.

—Pero si ese hombre de bien no es más que el herrero de la hacienda de Atlihuayán, y si el mismo dueño
de la hacienda, que está en México y que es un señorón,
no puede nada contra los plateados, ¿qué había de
poder el herrero que es un pobre artesano? —dijo
Manuela, alargando un poco su hermoso labio inferior
con un gesto de desdén.

—Pues aunque es un pobre artesano, ese herrero es
todo un hombre. En primer lugar, casándote, ya
estarías bajo su potestad, y no es lo mismo una muchacha que no tiene otro apoyo que una débil vieja como
yo, de quién todos pueden burlarse, que una mujer
casada que cuenta con su marido, que tiene fuerzas para
defenderla, que tiene amigos, muchos amigos armados
en la hacienda que pelearían a su lado hasta perder la
vida. Nicolás es valiente; nunca se han atrevido a
atacarle en los caminos; además sus oficiales de la
herrería y sus amigos del real le quieren mucho. En
Atlihuayán no se atreverían los plateados a hacerte nada,
yo te lo aseguro. Estos ladrones, después de todo, sólo
acometen a las poblaciones que tienen miedo y a los
caminantes desamparados, pero no se arriesgan con los
que tienen resolución. En segundo lugar, si tú no
querías estar por aquí, Nicolás ha ganado bastante dinero con su trabajo, tiene sus ahorros; su maestro, que
es un extranjero que le dejó encargado de la herrería
de la hacienda, está en México, le quiere mucho, y
podríamos irnos a vivir allá mientras que pasan estos
malos tiempos.

—¡No! ¡nunca, mamá! —interrumpió bruscamente
Manuela, —estoy decidida; no me casaré nunca con ese
indio horrible a quien no puedo ver . . . Me choca de
una manera espantosa, no puedo aguantar su presencia
. . . Prefiero cualquier cosa a juntarme con ese hombre 5
. . . Prefiero a los plateados, —añadió con altanera
resolución.

—¿Sí? —dijo la madre, arrojando su costura, indig-
nada, —¿prefieres a los plateados? Pues mira bien lo
que dices, porque si no quieres casarte honradamente 10
con un muchacho que es un grano de oro de honradez,
y que podría hacerte dichosa y respetada, ya te morde-
rás las manos de desesperación cuando te encuentres
en los brazos de esos bandidos. Yo no veré semejante
cosa; yo me moriré antes de pesadumbre y de vergüenza, 15
—añadió derramando lágrimas de cólera.

Manuela se quedó pensativa. Pilar se acercó a la
pobre vieja para consolarla.

—Mira tú, —dijo ésta a la humilde joven morena
que había estado escuchando el diálogo de madre e 20
hija, en silencio; —tú que eres mi ahijada, que no me
debes tanto como esta ingrata, no me darías semejante
pesar.

Pilar iba quizás a responder, pero en ese instante
llamaron a la puerta de un modo tímido. 25

—Es Nicolás, —dijo la señora; —ve a abrirle, Pilar.

La humilde joven, todavía confusa y encarnada,
quitó apresuradamente de sus cabellos la guirnalda de
azahares y los colocó en el banco.

—¿Por qué te quitas esas flores? —le preguntó 30
Manuela, arrojando a su vez apresuradamente las rosas
y caléndulas que se había puesto.

—Me las quito porque son flores de novia, y no soy

Perfil del Herrero.

yo aquí la novia, —respondió tristemente, aunque un
poco picada, Pilar. —Y tú, ¿por qué te quitas las
tuyas?

—Yo, porque no quiero ni parecer bonita a ese
indio, hombre de bien, que merece un relicario.   5

Pilar fué a abrir la puerta, con todas las precauciones
que se tomaban en ese tiempo en Yautepec.

IV. Nicolás

    QUIEN HUBIERA oído hablar a Manuela en tono
tan despreciativo, como lo había hecho, del herrero de
Atlihuayán, se habría podido figurar que era un mons- 10
truo, un espantajo repugnante que no debiese inspirar
más que susto o repulsión.

Pues bien: se habría engañado. El hombre que
después de atravesar las piezas de habitación de la casa
penetró hasta el patio en que hemos oído la conversa- 15
ción de la señora mayor y de las dos niñas, era un
joven trigueño, con el tipo indígena bien marcado, pero
de cuerpo alto y esbelto, de formas hercúleas, bien
proporcionado y cuya fisonomía inteligente y benévola
predisponía desde luego en su favor. Los ojos negros 20
y dulces, su nariz aguileña, su boca grande, provista de
una dentadura blanca y brillante, sus labios gruesos que
sombreaba apenas una barba naciente y escasa, daban a
su aspecto algo de melancólico pero de fuerte y varonil
al mismo tiempo. Se conocía que era un indio; pero 25
no un indio abyecto y servil sino un hombre culto,
embellecido por el trabajo y que tenía la conciencia de
su fuerza y de su valer. Estaba vestido no como todos
los dependientes de las haciendas azucareras con cha-

queta de dril de color claro, sino con una especie de blusa de lanilla azul como los marineros, ceñida a la cintura con un ancho cinturón de cuero lleno de cartuchos de rifle, porque en ese tiempo todo el mundo tenía que andar armado y apercibido para la defensa; además, traía calzoneras con botones obscuros, botas fuertes, y se cubría con un sombrero de fieltro gris de anchas alas pero sin ningún adorno de plata. Se conocía, en fin, que de propósito intentaba diferenciarse, en el modo de arreglar su traje, de los bandidos que hacían ostentación exagerada de adornos de plata en sus vestidos y especialmente en sus sombreros, lo que les había valido el nombre con que se conocían en toda la república.

Nicolás acostumbraba, en sus visitas diarias a la familia de Manuela, dejar su caballo y sus armas en una casa contigua, para partir luego que cerraba la noche a la hacienda de Atlihuayán, distante menos de una milla de Yautepec.

Después de los saludos de costumbre, Nicolás fué a sentarse junto a la señora en otro banco rústico, y notando que a los pies de Manuela estaban regadas en desorden las rosas que ésta había desprendido de sus cabellos, le preguntó:

—Manuelita, ¿por qué ha tirado usted tantas flores?

—Estaba yo haciendo un ramillete, —respondió secamente Manuela, —pero me fastidié y las he arrojado.

—¡Y tan lindas! —dijo Nicolás inclinándose para recoger algunas, lo que Manuelita vió hacer con marcado disgusto. —¡Usted siempre descontenta! —añadió tristemente.

—¡Pobre de mi hija! Mientras estemos en Yautepec y encerradas, —dijo la madre, —no podemos tener un momento de gusto.

—Tiene usted razón, —replicó Nicolás. —¿Y su hermano de usted, ha escrito?

—Nada, ni una carta; no hemos tenido ni razón de él. Ya me desespero . . . Y ¿qué noticias nos trae usted ahora, Nicolás?

—Hemos sabido que debía haber llegado aquí esta mañana una fuerza de caballería del gobierno, porque salió de Cuernavaca con esta dirección ayer por la tarde, y durmió en Xiutepec. Es tiempo de aprovechar la ocasión y pueden ustedes prepararse para la marcha, cuando regresen a Cuernavaca o a México.

—Ya se ve, —dijo la señora, —y desde luego vamos a alistarnos. Gracias, Nicolás, por la noticia, y espero que usted vendrá a vernos como siempre para comunicarnos algo nuevo y para que me haga usted el favor de quedarse con mis encargos . . . no tengo hombre de confianza más que usted.

—Señora, ya sabe usted que estoy a sus órdenes en todo, y que puede usted ir tranquila respecto de sus cosas, pues me quedo aquí.

—Ya lo sé, ya lo sé, y le espero a usted mañana, como siempre. Ahora es tiempo de que usted se vaya, es ya de noche y tiemblo de que le suceda a usted algo en este camino de Yautepec a la hacienda, tan corto pero tan peligroso . . . ¡Adiós! —dijo estrechando la mano de Nicolás, que fué a despedirse en seguida de Manuela, que le alargó la mano fríamente, y de Pilar, que le saludó con su humilde timidez de costumbre.

Cuando se oyó en la calle el trote del caballo que se alejaba, la señora que se había quedado triste y callada suspiró dolorosamente.

—La única pena que tendré —dijo, —alejándome de este rumbo, será dejar en él a este muchacho que es el solo protector que tenemos en la vida. ¡Con qué gusto le vería yo como mi yerno!

—¡Y dale con el yerno, mamá! —dijo Manuela acercándose a la pobre señora y abrazándola cariñosamente. —¡No pienses en eso! Ya vamos a salir de aquí y tendrás otro mejor.

—Este te ofrece un amor honrado, —dijo la señora.

—Pero no un amor de mi gusto, —replicó frunciendo las cejas y sonriendo la hermosa joven.

—Dios quiera que nunca te arrepientas de haberlo rechazado.

—No, mamá, de eso sí puede usted estar segura. Nunca me arrepentiré. ¡Si el corazón se va adonde quiere . . . no adonde lo mandan! —añadió lentamente y con risueña gravedad, ayudando a la señora a levantarse de su taburete.

La noche había cerrado; el rocío, tan abundante en las tierras calientes, comenzaba a caer; las sombras de la arboleda de la huerta se hacían más intensas a causa de la luz de la luna que comenzaba a alumbrar; y la familia se entró en sus habitaciones.

V. El Zarco

A LA sazón que esto pasaba en Yautepec, a un costado de la hacienda de Atlihuayán y por un camino pedregoso y empinado que bajaba de las montañas, y que se veía flanqueado por altas malezas y coposos árboles, descendía poco a poco y cantando con voz aguda y alegre un gallardo jinete montado en brioso alazán que parecía impacientarse, marchando tortuosamente en aquel sendero en que resonaban, echando chispas, sus herraduras.

El jinete lo contenía a cada paso, y en la actitud más tranquila parecía abandonarse a una silenciosa meditación, cruzando una pierna sobre la cabeza de la silla como las mujeres mientras que entonaba, repitiéndola distraído, una copla de una canción extraña compuesta 5 por bandidos y muy conocida entonces en aquellos lugares:

> Mucho me gusta la plata,
> pero más me gusta el lustre,
> por eso cargo mi reata 10
> pa la mujer que me guste.

El jinete, caminando así a mujeriegas, no parecía darse priesa por bajar al llano, y de cuando en cuando se detenía un momento para dejar que su caballo respirara y para contemplar la luna por los claros que solían 15 dejar los árboles de la montaña. Así mirándola atentamente observaba también las estrellas y parecía averiguar la hora, como si estuviese pendiente de una cita.

Por fin, al dar vuelta a un recodo del camino los árboles fueron siendo más raros, las malezas más pe- 20 queñas, el sendero se ensanchaba y era menos áspero, parecía que la colina ondulaba suavemente y todo anunciaba la proximidad de la llanura. Luego que el jinete observó este aspecto menos salvaje que el que había dejado detrás de sí, se detuvo un instante, alargó 25 la pierna que traía cruzada, se estiró perezosamente, se afirmó en los estribos, examinó con rapidez las dos pistolas que traía en la cintura y el mosquete que colgaba en la funda de su silla, al lado derecho y atrás como se usaba entonces; después de lo cual desenredó cuida- 30 dosamente la banda roja de lana que abrigaba su cuello, y volvió a ponérsela, pero cubriéndose con ella el rostro hasta cerca de los ojos. Después se desvió un poco del camino y se dirigió a una pequeña explanada que allí había, y se puso a examinar el paisaje.

La luna había aparecido ya sobre el horizonte y ascendía con majestad en el cielo por entre grupos de nubes. A lo lejos las montañas y las colinas formaban un marco negro y espeso al cuadro gris en que se destacaban las obscuras masas de las haciendas, la faja enorme de Yautepec, los cerros y las arboledas, y al pie de la colina que servía de mirador al jinete, se veían distintamente los campos de caña de Atlihuayán salpicados de luciérnagas, y en medio de ellos los grandes edificios de la hacienda con sus altas chimeneas, sus bóvedas y sus ventanas llenas de luz. Aun se escuchaba el ruido de las máquinas y el rumor lejano de los trabajadores y el canto melancólico con que los pobres mulatos, a semejanza de sus abuelos los esclavos, entretienen sus fatigas o dan fin a sus tareas del día.

Ese aspecto tranquilo y apacible de la naturaleza y ese santo rumor de trabajo y de movimiento, que parecía un himno de virtud, no parecieron hacer mella ninguna en el ánimo del jinete que sólo se preocupaba de la hora porque, después de haber permanecido en muda contemplación por espacio de algunos minutos, se apeó del caballo, estuvo paseándolo un rato en aquella meseta, después apretó el cincho, montó, e interrogando de nuevo a la luna y a las estrellas, continuó su camino cautelosamente y en silencio. A poco estaba ya en la llanura y entraba en un ancho sendero que conducía a la tranca de la hacienda; pero al llegar a una encrucijada tomó el camino que iba a Yautepec dejando la hacienda a la espalda.

Apenas acababa de entrar en él andando al paso,

cuando vió pasar a poca distancia y caminando en dirección opuesta a otro jinete que también iba al paso, montado en un magnífico caballo obscuro.

—¡Es el herrero de Atlihuayán! —dijo en voz baja, inclinando la ancha faja de su sombrero para no ser visto, aunque la bufanda de lana le cubría el semblante hasta los ojos.

Después murmuró, volviendo ligeramente la cabeza para ver al jinete que se alejaba con lentitud:

—¡Qué buenos caballos tiene este indio! ... Pero no se deja ... ¡Ya veremos! —añadió con acento amenazador.

Y continuó marchando hasta llegar cerca de la población de Yautepec. Allí dejó el camino real y tomó una veredita que conducía a la caja del río que atraviesa la población. Después siguió por toda la orilla meridional hasta una pequeña curva en que el río, después de encajarse entre dos bordes altos y llenos de maleza, de cactus y de árboles silvestres, desemboca en un terreno llano y arenoso, antes de correr entre las dos hileras de extensas espesísimas huertas que lo flanquean en la población. Allí la luna daba de lleno sobre el campo, rielando en las aguas cristalinas del río, y a su luz pudo verse perfectamente al jinete misterioso que había bajado de la montaña.

Era un joven como de treinta años, alto, bien proporcionado, de espaldas hercúleas y cubierto literalmente de plata. El caballo que montaba era un soberbio alazán, de buena alzada, musculoso, de encuentro robusto, de pezuñas pequeñas, de ancas poderosas como todos los caballos montañeses, de cuello fino y de cabeza inteligente y erguida. Era lo que llaman los rancheros un caballo de pelea. El jinete estaba vestido como los bandidos de esa época y como nuestros charros, los más charros de hoy. Llevaba chaqueta de paño obscuro con bordados de plata, calzoneras con doble hilera de chapetones de plata, unidos por cadenillas y agujetas del mismo metal; cubríase con un sombrero de lana obscura de alas anchas y tendidas y que tenían tanto encima como debajo de ellas una ancha y espesa cinta de galón de plata bordada con estrellas de oro; rodeaba la copa redonda y achatada una doble toquilla de plata, sobre la cual caían a cada lado dos chapetas también de plata en forma de bulas rematando en anillos de oro. Llevaba, además de la bufanda de lana con que se cubría el rostro, una camisa también de lana debajo del chaleco, y en el cinturón un par de pistolas de empuñadura de marfil en sus fundas de charol negro bordadas de plata. Sobre el cinturón se ataba una canana, doble cinta de cuero a guisa de cartuchera y rellena de cartuchos de rifle, y sobre la silla un machete de empuñadura de plata metido en su vaina bordado de lo mismo. La silla que montaba estaba bordada profusamente de plata, la cabeza grande era una masa de ese metal, lo mismo que la teja y los estribos, y el freno del caballo estaba lleno de chapetas, de estrellas y de figuras caprichosas. Sobre el vaquerillo negro de hermoso pelo de chivo, y pendiente de la silla, colgaba un mosquete, en su funda también bordada, y tras de la teja veíase amarrada una gran capa de hule. Y por dondequiera, plata: en los bordados de la silla, en los arzones, en las tapa-fundas, en las chaparreras de piel de tigre que colgaban de la cabeza de la silla, en las espuelas, en todo. Era mucha plata aquella, y se veía patente el esfuerzo para prodigarla por dondequiera. Era una ostentación insolente, cínica y sin gusto. La luz de la luna hacía brillar todo

este conjunto y daba al jinete el aspecto de un extraño
fantasma con una especie de armadura de plata.

El jinete estuvo examinando durante algunos segun-
dos el lugar. Todo se hallaba tranquilo y silencioso.
El llano y los campos de caña se dilataban a lo lejos,   5
cubiertos por la luz plateada de la luna, como por una
gasa transparente. Los árboles de las huertas estaban
inmóviles. Yautepec parecía un cementerio. Ni una
luz en las casas, ni un rumor en las calles. Los mismos
pájaros nocturnos parecían dormir, y sólo los insectos   10
dejaban oír sus leves silbidos en los platanares mientras
que una nube de cocuyos revoloteaba en las masas de
sombra de las arboledas.

La luna estaba en el zenit y eran las once de la noche.

El plateado se retiró después de este rápido examen   15
a un recodo que hacía el cauce del río junto a un borde
lleno de árboles, y allí perfectamente oculto en la
sombra, y en la playa seca y arenosa, echó pie a tierra,
desató la reata, quitó el freno a su caballo y, teniéndolo
del lazo, lo dejó ir a poca distancia a beber agua. Luego   20
que la necesidad del animal estuvo satisfecha, lo en-
frenó de nuevo y montó con agilidad sobre él, atravesó
el río, y se internó en uno de los callejones estrechos y
sombríos que desembocaban en la ribera y que estaban
formados por las cercas de árboles de las huertas.   25

Anduvo al paso y como recatándose por algunos
minutos, hasta llegar junto a las cercas de piedra de una
huerta extensa y magnífica. Allí se detuvo al pie de un
zapote colosal cuyos ramajes cubrían como con una
bóveda toda la anchura del callejón, y procurando pene-   30
trar con la vista en la sombra densísima que cubría el
cercado, se contentó con articular dos veces seguidas
una especie de sonido de llamamiento:

—¡Psst! . . . . ¡psst!

Al que respondió otro de igual naturaleza desde la cerca sobre la cual no tardó en aparecer una figura blanca.

—¡Manuelita! —dijo en voz baja el plateado.   5

—¡Zarco mío, aquí estoy! —respondió una dulce voz de mujer.

Aquel hombre era el Zarco, el famoso bandido cuyo renombre había llenado de terror toda la comarca.

VI. La Entrevista

LA CERCA no era alta; estaba formada de   10
grandes piedras, entre las cuales habían brotado centenares de trepadoras, de ortigas y de cactus de tallos verticales y esbeltos formando un muro espeso, cubierto con una cortina de verdura. Sobre esta cerca, aprovechando uno de sus claros y bajo las sombrías ramas del 15
zapote cuyo tronco nudoso presentaba una escalinata natural por dentro de la huerta, Manuelita se había improvisado un asiento para hablar con el Zarco en sus frecuentes entrevistas nocturnas.

El bandido no se bajaba en ellas de su caballo. 20
Desconfiado hasta el extremo como todos los hombres de su especie, prefería estar siempre listo para la fuga o para la pelea, aún cuando hablaba con su amada en las altas horas de la noche, en la soledad de aquella callejuela desierta y cuando la población dormía sobresaltada 25
sin atreverse nadie a asomar la cara después de la queda.

Así a caballo estaba al alcance de la joven para hablarle y para abrazarla con toda comodidad pues la altura del cercado no sobrepasaba la cabeza de la silla

del caballo y, en cuanto a este animal enseñado como
todos los caballos de bandidos, sabía estarse quieto
cuando la voluntad del jinete lo exigía. Por otra parte,
la cortina vegetal que revestía el cercado de piedra,
presentaba allí un ancho rasgón que permitía a los   5
amantes hablarse de cerca, enlazarse las manos y darse
besos ardientes.

Ya varias veces algunos vecinos de Yautepec que
solían transitar por esa callejuela en las mañanas para
salir al campo habían reparado en las huellas que de-   10
jaba el caballo en las noches de lluvia, huellas que
indicaban que alguien había estado allí detenido por
mucho tiempo, y que venían del río y volvían a dirigirse
a él. Pero suponían que eran las de algún campesino
que había venido allí en la tarde anterior o a lo sumo   15
sospechaban que Nicolás, el herrero de Atlihuayán,
cuyo amor a Manuelita era demasiado conocido, tenía
entrevistas con ella, aunque sabían todos por otra parte
que la joven manifestaba profunda aversión al herrero,
cosa que atribuían a hipócrita disimulo desmentido por   20
las huellas acusadoras.

En cuanto a doña Antonia, madre de Manuelita,
ignoraba de todo punto, como es de suponerse, que su
hija tuviese entrevista alguna con nadie, y aún el rumor
acerca de las huellas de un caballo junto al cercado de   25
su huerta le era totalmente desconocido.

Así, bajo aquel secreto profundo que nadie se hubiera atrevido a adivinar, Manuela salía a hablar con
su amante con toda la frecuencia que permitían a éste
sus arriesgadas excursiones de asalto y de pillaje. Él   30
parecía muy enamorado de la hermosa muchacha, pues
apenas podía disponer de algunas horas, cuando las
aprovechaba a trueque del reposo y del sueño para venir

a conversar una hora con su amada, a quien prevenía regularmente por medio de los emisarios y cómplices que tenía en Yautepec.

Esta vez era esperado con más impaciencia que nunca por la joven, alarmada por los peligros que anunciaban para sus amores las resoluciones de la tarde.

—Tenía yo miedo de que no vinieras esta noche y te esperaba ya con ansia, —dijo Manuela, palpitante de amor y de zozobra.

—Apenas he tenido tiempo de pasar por Xochimancas, de remudar caballo, de tomar un bocado y un poco de café y he andado veinte leguas por verte, —respondió el Zarco, arrimándose a la cerca y tomando entre las suyas las manos trémulas de la joven. —¿Pero qué tienes? ¡Estás temblando! ¿Por qué me esperabas con ansia?

—Pues, ahora verás: estuvo como siempre hoy en la tarde el fastidioso herrero, y él, diciéndole mi mamá que ya no veía la hora de salir de aquí para irnos a México, pero que no sabía cómo porque mi tío no viene, le contó que una tropa de caballería del gobierno había salido ayer de Cuernavaca con dirección a Yautepec, que entonces podríamos aprovechar la oportunidad para irnos con la tropa.

—¿Ustedes?

—Sí, nosotras, y mi madre dijo que le parecía buena la idea; que nos íbamos a disponer para irnos, y aun encargó al herrero que viniera mañana para traerle nuevas noticias y para dejarle sus encargos.

—¡Ah, caramba! ¿de modo que es de veras?

—Muy de veras, Zarco, muy de veras. Tiene mi madre tal miedo que, no lo dudes, va a aprovechar la ocasión, y ya me dijo que vayamos disponiendo nuestros baúles con lo más preciso, que irá mañana a pedirle a una persona el dinero que le tiene guardado, y nos vamos.

—¡Imposible! —exclamó el bandido con violencia, —¡imposible! Se irá ella, pero tú no; primero me matan.

—Pero ¿cómo hacemos entonces?

—Niégate.

—¡Ah! Sería inútil, Zarco, tú no conoces a mi mamá; cuando dice una cosa, la cumple; cuando manda algo, no se le puede replicar. Hartos disgustos tengo todos los días porque me quiere casar a fuerza con el indio, y por más que le manifiesto mi resolución de no unirme a ese hombre, por más que le hago desaires a éste, y que le he dicho en su cara muchas veces que no le tengo amor, mi madre sigue en su porfía, y el herrero sigue también viniendo, seguramente porque mi madre le da alas para que no deje su necedad. Pero en esto puedo desobedecer porque alego mi falta de cariño, pero en lo de irnos . . . ya tú ves que es imposible.

—Pues, déjame pensar, —dijo el Zarco poniéndose a reflexionar.

—Si tienes otro medio . . . el de casarnos por ejemplo, —insinuó ella.

—¿Casarnos?

—Sí, y ¿por qué no?

—¿Pero tú no piensas que no podemos casarnos?

—¿Por qué? dímelo.

—Por mil razones. Llevando la vida que llevo, siendo como soy tan conocido, teniendo tantas causas pendientes en los juzgados, habiendo naturalmente orden de colgarme donde me cojan, ¿adónde había yo de ir a presentarme para que nos casaran? ¡Estás loca!

—Pero ¿no podemos irnos lejos de este rumbo, a
Puebla, al sur, a Morelia, donde no te conozcan para
casarnos?

—Pero para eso sería preciso que te sacara yo de aquí,
que te robara yo, que te fueras conmigo a Xochimancas   5
mientras . . . Y después emprenderíamos el viaje a otra
parte.

—Pues bien, —replicó la joven resueltamente, después de reflexionar un momento, —puesto que no queda
más que ese recurso, sácame de aquí, me iré contigo   10
adonde quieras.

—Pero ¿te avendrás a la vida que llevo, siquiera por
estos días? Vamos a Xochimancas; ya sabes quiénes
son mis compañeros; es verdad que tienen ellos allí a
sus muchachas, pero no son como tú: ellas están   15
acostumbradas a pasar trabajos, montan a caballo, ayu-
nan algunas veces, se desvelan, no se escandalizan de lo
que pasa, porque pasan cosas un poco feas . . . en fin,
son como nosotros. Tú eres una muchacha criada de
otra manera . . . tu mamá te quiere mucho . . . Tengo   20
miedo de que te enfades, de que llores, acordándote de
tu mamá y de Yautepec . . . de que me eches la culpa
de tu desgracia, de que me aborrezcas.

—Eso nunca, Zarco, nunca; yo pasaré cuantos trabajos vengan, yo también sé montar a caballo, y ayunaré   25
y me desvelaré, y veré todo sin espantarme con tal de
estar a tu lado. Mira, —añadió Manuela, con voz agitada, —yo quiero, en efecto, mucho a mi mamá, aunque
de pocos días a esta parte me parezca que la quiero
menos; sé que le voy a causar tal vez dolor, pero te   30
prometo no llorar cuando me acuerde de ella, con la
condición de que tú estés conmigo, de que me quieras
siempre, como yo te quiero, de que nos vayamos pronto
de este rumbo.

El bandido la estrechó entre sus brazos, conmovido ante esta explosión de amor tan sincera, que le entregaba enteramente a aquella joven tan bella, tan soñada en sus largas horas de ausencia. Porque el Zarco amaba también a Manuela, sólo que él la amaba de la manera 5 que podía amar un hombre ocupado en una vida de crimen. La amaba porque era linda, fresca, gallarda; y porque, efectivamente, se creía afortunado con merecer la preferencia de la mujer más bonita de la comarca.

—Bueno, —dijo, separándose de los brazos de 10 Manuela. —Entonces no hay más que hablar, te sales conmigo y nos vamos . . .

—¿Ahora? —preguntó ella con cierta indecisión.

—No, no ahora, —contestó el bandido; —ahora es tarde y no podrías prepararte. Mañana; vendré por ti 15 a la misma hora, a las once. No des en qué sospechar para nada a tu madre; estáte en el día, como si tal cosa, con mucho disimulo; no saques más ropa que la muy necesaria. Allá tendrás toda la que quieras; pero saca tus alhajas y el dinero que te he dado; guardas todo 20 eso aparte ¿no es verdad?

—Sí, lo tengo en un baulito, enterrado.

—Pues bien: sácalo y me aguardas aquí mañana, sin falta.

—Y ¿si por casualidad llegara la tropa del gobierno? 25 —preguntó Manuela con inquietud.

—No, no vendrá, estáte segura. La tropa del gobierno habrá andado todo el día de hoy buscándonos; luego, como esos soldados tienen una caballada tan flaca y tan miserable, descansarán todo el día de mañana, y 30 a lo sumo volverán a Cuernavaca pasado mañana, de modo que no estarán aquí sino dentro de cuatro días. Así es que tenemos tiempo. Tú puedes alistar tus baúles con tu mamá como preparándote para el viaje a

México, y no dejas fuera más que la ropa que te has de traer. Si por desgracia ocurriera alguna dificultad que te impida salir a verme, me avisarás luego luego con la vieja, que me ha de aguardar donde sabe, para darme aviso. Pero si no hay nada, ni a ella le digas una palabra. Toma, —añadió, sacando de los bolsillos de su chaqueta unas cajitas y entregándoselas a la joven.

—¿Qué es esto? —preguntó ella recibiéndolas.

—Ya las verás mañana y te gustarán . . . ¡son alhajas! Guárdalas con las otras, —dijo el bandido abrazándola y besándola por último. —Ahora, me voy, porque ya es hora; apenas llegaré amaneciendo a Xochimancas; hasta mañana, mi vida.

—Hasta mañana, —respondió ella, —no faltes . . .

—¡Mañana serás mía enteramente!

—Tuya para siempre, —dijo Manuela, enviándole un beso, y quedándose un instante en la cerca para verlo partir.

El Zarco se alejó, como había venido, al paso y recatadamente, y a poco se perdió en las tortuosidades de la callejuela apenas alumbrada por la luna.

VII. La Adelfa

TAN PRONTO como la joven perdió de vista a su amante, se apresuró a bajar del cercado por la escalinata natural que formaban las raíces del zapote, y se encaminó apresuradamente hacia un sitio de la huerta en que un grupo de arbustos y de matorrales formaba una especie de pequeño soto espeso y obscuro a orillas de un remanso que hacían allí las aguas tranquilas del canal de riego. Luego sacó de entre las plantas una

lınterna sorda y se dirigió en seguida, abriéndose paso
por entre los arbustos, hasta el pie de una vieja y
frondosa adelfa que, cubierta de flores aromáticas y
venenosas, dominaba por su tamaño las pequeñas plantas del soto. Allí, en un montón de tierra cubierto de 5
grama, la joven se sentó y alumbrándose con la linterna
abrió con manos trémulas y palpitando de impaciencia
las tres cajitas que acababa de regalarle el bandido.

—¡Ah, qué lindo! —exclamó en voz baja, al ver un
anillo de brillantes cuyos fulgores la deslumbraron. 10
—¡Eso debe valer un dineral! —añadió sacando el anillo
y colocándolo sucesivamente en los dedos de su mano
izquierda y haciéndolo brillar a todos lados. —¡Si esto
parece el sol!

Luego, dejándose puesto el anillo, abrió la segunda 15
caja y se quedó estupefacta. Eran dos pulseras en
forma de pequeñas serpientes, todas cuajadas de brillantes y cuyos anillos de oro esmaltados de vivos colores
les daban una apariencia fascinadora. Las serpientes
daban varias vueltas en la caja de raso y Manuela tardó 20
un poco en desprenderlas; pero luego que terminó, se
las puso en el puño, muy cerca de la mano, enroscándo-
las cuidadosamente. Y comenzó a alumbrarlas en todos
sentidos poniendo las manos en diversas actitudes.

Luego, por un instante cerró los ojos, como si soñara, 25
y los abrió en seguida, cruzando los puños junto a la
luz y contemplándolos largo rato.

—¡Dos víboras! —dijo frunciendo el ceño, —¡qué
idea! . . . En efecto, son dos víboras . . . ¡el robo!
¡Pero bah! —añadió, sonriendo y guiñando los ojos, 30
casi llenos con sus grandes y brillantes pupilas negras
. . . —¡qué me importa! ¡Me las da el Zarco, y poco
me interesa que vengan de donde vinieren! . . .

Después abrió la tercera caja. Ésta contenía dos pendientes, también de gruesos brillantes.

—¡Ah, qué hermosos aretes! —dijo, —¡parecen de reina!— Y cuando los hubo contemplado en la caja, que no se veía con aquel haz de resplandores y de chispas, los sacó también y se los puso en las orejas, habiéndose quitado antes sus humildes zarcillos de oro.

Entonces tomó su linterna, y levantándose así adornada como estaba con su anillo, pulseras y aretes, se dirigió a la orilla del remanso, y allí se inclinó, alumbrándose con la linterna el rostro, procurando sonreír; sin embargo, presentando en todas sus facciones la especie de dureza altanera que es como el reflejo de la codicia y de la vanidad, y que sería capaz de afear el rostro ideal de un ángel.

Manuela aun permaneció algunos momentos mirándose en el remanso y recatándose a cada ruido que hacía el viento entre los árboles, y luego volvió al pie de la adelfa, se quitó sus joyas y las guardó cuidadosamente en sus cajas; hecho lo cual, lanzó una mirada en torno suyo, y viendo que todo estaba tranquilo, sacó de entre las matas una pequeña pala, y removiendo con ella la tierra, en cierto sitio cubierto de musgo, puso al descubierto un saco de cuero, que se apresuró a abrir con una llavecita que llevaba guardada. Luego introdujo en la boca la linterna para cerciorarse de si estaba allí su tesoro, que palpó un momento con extraña fruición. Consistía en alhajas envueltas en papeles y en cintos de cuero, llenos de onzas de oro y de pesos de plata.

Después metió cuidadosamente en el saco las cajas que acababa de darle el Zarco, y enterró de nuevo el tesoro, cubriéndolo con musgo y haciendo desaparecer toda señal de haberse removido el suelo.

Luego, como sintiendo abandonar aquella riqueza, alzó su linterna sorda y se dirigió de puntillas a la casa entrándose en las habitaciones en que la pobre señora, a pesar de las inquietudes del día, dormía con el tranquilo sueño de las conciencias honradas.

VIII. Quien Era El Zarco

ENTRETANTO, Y a la sazón que Manuela examinaba sus nuevas alhajas, el Zarco, después de haber dejado las orillas de Yautepec y de haber atravesado el río con la misma precaución que había tenido al llegar, se dirigió por el amplio camino de la hacienda de Atlihuayán al montañoso por donde había descendido y que conducía a Xochimancas.

Era la media noche, y la luna entre espesos nubarrones dejaba envuelta la tierra en sombras. La calzada de Atlihuayán estaba completamente solitaria, y los árboles que la flanquean por uno y otro lado, proyectaban una obscuridad siniestra y lúgubre que hacían más densa los fugaces y pálidos arabescos que producían los cocuyos y las luciérnagas.

El bandido, conocedor de aquellos lugares, acostumbrado, como todos los hombres de su clase, a ver un poco en la obscuridad, y más que todo, fiado en la sensibilidad exquisita de su caballo, que al menor ruido extraño aguzaba las orejas y se detenía para prevenir a su amo, marchaba paso a paso, pero con entera tranquilidad, pensando en la próxima dicha que le ofrecía la posesión de Manuela.

Jamás desde que, siendo niño todavía, abandonó el hogar de su familia había sentido la necesidad imperiosa de unirse a otro ser, como la sentía ahora de unirse a aquella mujer, tan bonita y tan apasionada, que encerraba para él un mundo de inesperadas dichas.

Así repasando en su memoria todas las escenas de su niñez y de su juventud, encontraba que su carácter bravío y duro había rechazado siempre todo afecto, todo cariño, cualquiera que fuese, no habiendo cultivado sino aquéllos de que había sacado provecho. Hijo de honrados padres, trabajadores en aquella comarca, que habían querido hacer de él un hombre laborioso y útil, pronto se había fastidiado del hogar doméstico en que se le imponían tareas diarias o se le obligaba a ir a la escuela, y aprovechándose de la frecuente comunicación que tienen las poblaciones de aquel rumbo con las haciendas de caña de azúcar, se fugó, yendo a acomodarse al servicio del caballerango de una de ellas.

Allí permaneció algún tiempo, logrando después, cuando ya estaba bastante diestro en la equitación y en el arte de cuidar los caballos, colocarse en varias haciendas, en las cuales duraba poco, a causa de su conducta desordenada, pues haragán por naturaleza y por afición, apenas era útil para esos trabajos serviles, consagrando sus largos ocios al juego y a la holganza.

Por lo demás, en todo ese tiempo no recordaba haber sentido ni simpatía ni adhesión a nadie. Permaneciendo poco tiempo en cada lugar, sirviendo por pocos días en cada hacienda, y cultivando relaciones de caballeriza y de juego, que duraban un instante y que se alteraban con frecuentes riñas que las convertían en enemistades profundas, él verdaderamente no había tenido amigos, sino compañeros de placer y de vicio. Al contrario, en aquellos días su carácter se formó completamente, y ya no dió cabida en su corazón más que a las malas pasiones. Así, la servidumbre consumó lo que había comenzado la holgazanería, y los instintos perversos, que no estaban equilibrados por ninguna noción de bien, acabaron por llenar aquella alma obscura, como las algas infectas de un pantano.

Él no había amado a nadie, pero en cambio odiaba a todo el mundo: al hacendado rico cuyos caballos ensillaba y adornaba con magníficos jaeces, al obrero que recibía cada semana buenos salarios por su trabajo, al labrador acomodado, que poseía fecundas tierras y buena casa, a los comerciantes de las poblaciones cercanas, que poseían tiendas bien abastecidas, y hasta a los criados que tenían mejores sueldos que él. Era la codicia complicada con la envidia, una envidia impotente y rastrera, la que producía este odio singular y esta ansia frenética de arrebatar aquellas cosas a toda costa.

Por fin, cansado de aquella vida de servidumbre, de vicio y de miseria, el Zarco huyó de la hacienda en que estaba, llevándose algunos caballos para venderlos en la tierra fría. Como era de esperarse, fué perseguido; pero ya en este tiempo, al favor de la guerra civil, se había desatado en la tierra fría cercana a México una nube de bandidos que no tardó en invadir las ricas comarcas de la tierra caliente.

El Zarco se afilió en ella inmediatamente, y desde luego, y como si no hubiera esperado más que esa oportunidad para revelarse en toda la plenitud de su perversidad, comenzó a distinguirse entre aquellos facinerosos por su intrepidez, por su crueldad y por su insaciable sed de rapiña.

Obligadas las tropas liberales a aceptar la cooperación de estos bandidos en la persecución que hacían al faccioso Márquez, en su travesía por la tierra caliente,

algunas de aquellas partidas se presentaron formando
cuerpos irregulares pero numerosos, y uno de ellos
estaba mandado por el Zarco. Entonces, y durante los
pocos días que permaneció en Cuernavaca, fué cuando
conoció a Manuelita, que se había refugiado con su   5
familia en esa ciudad. El bandido ostentaba entonces
un carácter militar, sin dejar por eso los arreos vistosos
que eran como característicos de los ladrones de aquella
época y que les dieron el nombre de plateados, con el
que fueron conocidos generalmente.   10

La hermosa joven, cuyo carácter parecía en armonía
con el del bandido, al ver pasar frente a sus ventanas
aquel cuerpo de gallardos jinetes, vistosos y brillantes,
y al frente de ellos montado en soberbio caballo y
cargado de plata hasta el exceso al joven y terrible   15
bandido, cuyo nombre no había sonado en su oído sino
con el acento del terror, se sintió atraída hacia él por
un afecto en que se mezclaban la simpatía, la codicia y
la vanidad como en punzante y sabroso filtro.

Así nació una especie de amor extraño en aquellas   20
dos almas, hechas para comprenderse. Y en el poco
tiempo que el Zarco permaneció en Cuernavaca, logró
ponerse en comunicación con Manuela y establecer con
ella relaciones amorosas, que no llegaron, sin embargo,
por las circunstancias al grado de intimidad en que las 25
vemos en Yautepec.

El general González Ortega, conociendo el grave
error que había cometido dando cabida en sus tropas a
varias partidas de plateados, que no hicieron más que
asolar las poblaciones que atravesaba el ejército y   30
desprestigiarlo, no tardó en perseguirlas, fusilando a
varios de sus jefes. Para salvarse de semejante suerte,
el Zarco se escapó una noche de Cuernavaca con sus

bandidos y se dirigió al Sur de Puebla, en donde estuvo
por algunos meses ejerciendo terribles depredaciones.

Por fin, los plateados establecieron su guarida principal en Xochimancas, y el Zarco no tardó en saber que
Manuela había vuelto a Yautepec, en donde residía con   5
su familia. Naturalmente, procuró desde luego reanudar sus relaciones apenas interrumpidas y pudo cerciorarse de que Manuela le amaba todavía.

Desde entonces comenzó esa comunicación frecuente
y nocturna con la joven, comunicación que no era peli-   10
grosa para él, dado el terror que infundía su nombre y
dadas también las inteligencias que cultivaba en la
población, en donde los bandidos contaban con numerosos emisarios y espías.

Entretanto, sus crímenes aumentaban de día en día;   15
sus venganzas sobre sus antiguos enemigos de las haciendas eran espantosas y el pavor que inspiraba su
nombre había acobardado a todos. Los mismos hacendados, sus antiguos amos, habían venido temblando
a su presencia a implorar su protección y se habían   20
constituído sus humildes y abyectos servidores, y no
pocas veces, él, antiguo mozo de estribo, había visto
tener la brida de su caballo al arrogante señorón de la
hacienda a quien antes había servido humilde y despreciado.   25

Semejantes venganzas y humillaciones fueron harto
frecuentes en esa época, gracias a la audacia y número
de los bandidos, cuyo poder era ilimitado en aquella
comarca infortunada, y gracias más que todo a la impotencia del gobierno central, que ocupado en combatir la 30
guerra civil y en hacer frente a la intervención extranjera, no podía distraer a sus tropas para reprimir a los
bandidos.

IX. *El Buho*

EL ZARCO se hallaba, pues, en la plenitud de su
orgullo satisfecho.   Había realizado parte de sus aspi-
raciones.   Era temido, se había vengado; sus numero-
sísimos robos le habían producido un botín cuantioso;
disponía a discreción del bolsillo de los hacendados.   5
Cuando necesitaba una fuerte cantidad de dinero, se
apoderaba de un cargamento de azúcar o de aguardiente
o de un dependiente rico, y los ponía a rescate; cuando
quería imponer contribución a una hacienda, quemaba
un campo de cañas, y cuando quería infundir pavor a 10
una población, asesinaba al primer vecino infeliz a
quien encontraba en sus orillas.

Pero, satisfecha su sed de sangre y de rapiña, sentía
que aún le faltaba alguna cosa.   Eran los goces del
amor que podía prometerle la pasión de una mujer 15
hermosa, joven, de una clase social superior a la suya,
y que lo amara sin reserva y sin condición.

Manuela habría sido para él una mujer imposible
cuando, medio oculto en la comitiva servil del rico
hacendado, atravesaba los domingos las calles de Yaute- 20
pec.   Entonces era seguro que la linda hija de una
familia acomodada, vestida con cierto lujo aldeano, y
que recibía sonriendo en su ventana las galantes lisonjas
de los ricos dueños de hacienda, de los gallardos dependientes que caracoleaban en briosos caballos, llenos 25
de plata para lucirse delante de ella, no se habría fijado
ni un instante en aquel criado descolorido y triste, mal
montado en una silla pobre y vieja, y en un caballo
inferior, y que se escurría silenciosamente en pos de
sus amos.   30

El Zarco y el Tecolote.

Entonces, si él se hubiera acercado a hablarle, a ofrecerle una flor, a decirle que la amaba, era indudable que no habría tenido por respuesta más que un gesto desdeñoso o una risa de burla.

Y ahora que él era guapo, que montaba los mejores caballos del rumbo, que iba vestido de plata, que era temido, que veía a sus pies a los ricos de las haciendas; ahora que él podía regalar alhajas que valían un capital; ahora, esa joven, la más hermosa de Yautepec, lloraba por él, lo esperaba palpitante de amor todas las noches, iba a abandonar por él a su familia y a entregarse sin reserva; la iba a mostrar a sus compañeros, a pasearla por todas partes a su lado y a humillar con ella a los antiguos dependientes. Tal consideración daba al amor que el Zarco sentía por Manuela un acre y voluptuoso sabor de venganza, sobre la misma joven y sobre los demás, juntamente con un carácter de vanidad insolente.

El Zarco llegaba aquí en sus cavilaciones cuando le detuvo sobresaltado el canto repentino y lúgubre de un buho, que salía de las ramas frondosas de un amate gigantesco, frente al cual estaba pasando.

—¡Maldito tecolote! —exclamó en voz baja, sintiendo circular en sus venas un frío glacial. —¡Siempre le ocurre cantar cuando yo paso! ¿Qué significa esto? —añadió, con la preocupación que es tan común en las almas groseras y supersticiosas, y quedó sumergido un momento en negras reflexiones. Pero repuesto a poco, espoleó su caballo, con ademán despreciativo:

—¡Bah! Esto no le da miedo más que a los indios, como el herrero de Atlihuayán; yo soy blanco y huero . . . a mí no me hace nada.

Y se alejó al trote para encumbrar la montaña.

X. La Fuga

AL DÍA siguiente, Nicolás, el herrero de Atlihuayán, vino, como de costumbre, en la tarde, a hacer
su visita a la madre de Manuela, y la encontró preocu-
pada y triste. La joven estaba durmiendo y la señora
se hallaba sola en el pequeño patio en que la encontra-   5
mos la tarde anterior.

—¿Hay alguna noticia nueva? —preguntó doña
Antonia al joven artesano.

—Sí, señora, —respondió éste; —parece que la caballería del gobierno llegará, por fin, mañana. Es   10
preciso que estén ustedes dispuestas, porque sé que no
permanecerá ni un día y que se va pasando para Cuautla
y de allí se dirige a México.

—Yo estoy lista ya enteramente, —respondió doña
Antonia. —Todo el día nos hemos pasado arreglando   15
los baúles y recogiendo mi poco dinero. Además, he
ido a ver al juez para que me extendiera un poder, que
voy a dejar a usted, —añadió, tomando de su cesto de
costura un papel que dió a Nicolás. —Usted se en-
cargará, si me hace favor, de vender esta huerta, lo más   20
pronto posible, o de arrendarla, pues según están las
cosas, no podemos volver pronto y estoy aburrida de
tanto sufrir aquí. Si usted se va a México, allá nos
encontrará como siempre, y quizás entonces se habrá
cambiado el ánimo de Manuela.   25

—No lo creo, señora, —se apresuró a responder
Nicolás. —Yo he acabado por conocer que es imposible
que Manuelita me quiera. Le causo una repugnancia
que no está en su mano remediar. Así es que me
parece inútil pensar ya en eso. ¡Cómo ha de ser!   30

—añadió suspirando, —uno no puede disponer de su
corazón. Dicen que el trato engendra el cariño. Ya
usted ve que esto no es cierto, porque si del trato de-
pendiera, yo me he esmerado en ser agradable a la
niña, pero mis esfuerzos siempre han encontrado por   5
recompensa su frialdad, su alejamiento, casi su odio . . .
porque yo temo hasta que me aborrezca.

—No, Nicolás, eso no; ¡aborrecerle a usted! ¿por
qué? ¿No ha sido usted nuestro protector desde que
murió mi marido? ¿No nos ha colmado usted de favores   10
y de servicios que jamás se olvidan? ¿Por qué tan
noble conducta había de producir el aborrecimiento en
Manuela? No; lo que sucede es que esta muchacha es
tonta, es caprichosa yo no sé a quién ha sacado, pero
su carácter me parece extraño, particularmente desde   15
hace algunos meses. No quiere hablar con nadie,
cuando antes era tan parlanchina y tan alegre. No quiere
rezar, cuando antes era tan piadosa. No quiere coser,
cuando antes se pasaba los días discurriendo la manera
de arreglar sus vestidos o de hacerse nuevos. No quiere 20
nada. Hace tiempo que noto en ella no sé qué cosa
tan extraña que me da en qué pensar. Unos días está
triste, pensativa, con ganas de llorar, tan pálida que
parece enferma, tan perezosa que tengo que reñirla;
otros, se despierta muy viva, pero colérica, por nada se 25
enoja, regaña, me contradice, nada encuentra bueno en
la casa, nuestra pobre comida la fastidia, el encierro en
que estamos la aburre; quisiera que saliéramos a pasear,
que montáramos a caballo, que fuéramos a visitar las
haciendas; parece que no tiene miedo a los ladrones que 30
nos rodean por todas partes, y, viendo que yo me opongo
a estas locuras, vuelve a caer en su abatimiento y se
echa a dormir. Hoy mismo ha pasado una cosa rara,

luego que le anuncié que era necesario disponer los
baúles para irnos a México; tan pronto como vió que
esto era de veras, que volví trayendo un dinerito y que
comencé a arreglar todas mis cosas, primero se puso
alegre y me abrazó diciéndome que era una dicha, que
por fin iba a conocer a México, que había sido su sueño,
que allí iba a estar alegre, pues que su tristeza tenía por
causa la situación horrorosa que guardamos, hace tantos
meses. Como es natural, yo me había figurado lo
mismo, y por eso no había hecho tanto reparo en el
cambio de su carácter, pues era de suponerse que una
muchacha como ella, que está en la edad de divertirse,
de pasear, debía estar fastidiada de nuestro encierro.
Así es que también yo me puse alegre al verla contenta,
pensando en el viaje. Pero luego ha vuelto a su tristeza,
y al sentarnos a comer, observé ya que estaba de mal
humor, que casi no quería probar bocado y que aun
tenía deseos de llorar. Luego, no he podido distraerla,
y después de componer su ropa en un baúl, al ir a verla
la encontré dormida en su cama. ¡Ha visto usted cosa
igual! Pues si fuera porque nos vamos de Yautepec,
¿por qué ha estado triste viviendo aquí?

—Señora, —preguntó Nicolás, que había escuchado
atento y reflexivo, —¿no tendrá aquí algún amor? ¿no
dejará aquí alguna persona a quien haya querido o a
quien quiera todavía, sin que se lo haya dicho a usted?

—Esto me he preguntado algunas veces, pero no
creo que haya nada de lo que usted dice. ¿Qué amor
pudiera haber tenido que yo no hubiera siquiera sospe-
chado? Es verdad que algunos dependientes habían
dado en enviarle flores, papelitos y recados, pero eso
fué mucho antes de que fuéramos a vivir a Cuernavaca.
Después de que regresamos, aquellos muchachos ya no

estaban aquí, se habían ido a México, y Manuela no ha
vuelto a acordarse de ellos ni a nombrarlos siquiera.
Algunos jóvenes del pueblo suelen pasar por aquí y la
ven con algún interés, pero ella les muestra mucho
desprecio y cierra la ventana tan luego como los ha   5
visto acercarse. No han vuelto ya. Manuela encuentra
fastidiosos a los pocos que conoce. En fin, yo estoy
segura de que no quiere a ninguno en el pueblo, y por
eso al principio de este año, cuando comenzó usted a
visitarnos, creí que iba inclinándose a usted y que   10
arreglaríamos fácilmente lo que teníamos pensado.

—Pues ya ve usted, señora, —contestó Nicolás
amargamente, —que no era cierto, y que Manuelita me
ha considerado más fastidioso que a los muchachos de
Yautepec. Tanto, que yo, teniéndole como le tengo   15
tanto cariño y habiendo pensado tan seriamente en
casarme con ella, porque creía con nuestro matrimonio
labrar su felicidad y la mía, naturalmente, no he podido
ser insensible a sus desprecios constantes y me resolví a
alejarme para siempre de esta casa. Pero la considera-   20
ción de que usted me tiene un afecto de que estoy
seguro, las órdenes de mi madre de que yo vele por
ustedes hoy que tanto se necesita del apoyo de un
hombre en estos pueblos, me han hecho seguir importu-
nándolas con mi presencia, que de otro modo les habría   25
evitado.

—¿Importunando a mí? —preguntó conmovida y
llorando doña Antonia.

—No, a usted no, señora; bien veo que usted me
profesa amistad, que desearía mi bien y mi dicha, que   30
si por usted fuera, yo sería el esposo de su hija. Yo no
soy ingrato, señora, y crea usted que mientras viva yo
me portaré con usted como un hijo reconocido y cariño-

so, sin interés de nada y siempre que no sirva de obstáculo a la felicidad de Manuelita; pero lo decía yo por esta niña. Afortunadamente para ella, ustedes se van de aquí, de modo que no tendrá la mortificación de verme y yo tendré la satisfacción de ser útil a usted desde lejos. Haré todo lo que usted me encarga y le escribiré con frecuencia, dándole razón de la huerta y del estado que guarda este rumbo. Mañana, cuando venga la tropa del gobierno, yo también vendré a ver qué se les ofrece a ustedes, y aun las acompañaré cuando se vayan, hasta Morelos o hasta más allá si es necesario.

—¡Ah, Nicolás! ¡qué bueno es usted y qué noble! —dijo la señora con ternura; —acepto todo lo que usted me ofrece, y a mi vez le aseguro que en mí tendrá siempre una segunda madre. Cualquiera que sea la suerte que Dios nos reserve a mí y a mi hija, crea usted que siempre recordaré su generosidad para con nosotras, y que nunca olvidaré que es usted el más noble y honrado joven que he conocido. Le espero a usted mañana, y si usted quiere acompañarnos, como me lo promete, yo tendré mucho gusto de contar con su compañía, que tanto necesito. Pero tengo miedo de que suceda a usted algo a su regreso.

—No tema usted nada, señora, —dijo Nicolás, levantándose; —llevaré a algunos de mis compañeros de taller, bien montados y armados, y no correremos ningún peligro.

—Bueno, —dijo doña Antonia, apretando la mano del herrero con las dos suyas, cariñosamente, como lo haría una madre tierna con el hijo de su corazón.

Luego, al sentir que se alejaba, exclamó llorando:

—¡Oh! ¡qué desgraciada soy en no tener a este hombre por yerno!

Manuelita se despertó cuando ya estaba anocheciendo, y a la luz de la bujía, doña Antonia observó que tenía los ojos encarnados.

—¿Estás mala, hija? —le preguntó afectuosamente.

—Me duele mucho la cabeza, mamá, —contestó la joven.

—Es que estás amodorrada, y además, ¡has comido tan poco!

— —No; me siento un poco mal.

—¿Tendrás calentura? —dijo la madre inquieta.

—No, —replicó Manuelita, tranquilizándola; —no es nada, me levanté esta mañana muy temprano y, en efecto, he comido poco. Voy a tomar algo y volveré a acostarme, porque lo que siento es sueño; pero tengo apetito y ésa es buena señal. Ya sabe usted que siempre que madrugo me pasa esto. Además, es preciso dormir, ahora que se puede, porque quién sabe si en el viaje podamos hacerlo con comodidad y en compañía de soldados, —añadió sonriendo maliciosamente.

La pobre madre, ya muy tranquila, dispuso la cena, que Manuela tomó con alegría y apetito, después de lo cual rezaron las dos sus devociones, y tras de una larga conversación sobre sus arreglos de viaje y sus nuevas esperanzas, la señora se retiró a su cuarto, contiguo al de Manuela y apenas dividido de éste por un tabique.

A la sazón caía un aguacero terrible, uno de esos aguaceros de las tierras calientes, mezclados de relámpagos y truenos, en que parece abrir el cielo todas sus cataratas e inundar con ellas el mundo. La lluvia producía un ruido espantoso en el tejado, y los árboles de la huerta, azotados por aquel torrente, parecían desgajarse.

En la calle el agua corría impetuosamente formando

un río, y en el patio se había producido una inundación con el crecimiento de los canales y con el chorro de los tejados.

Doña Antonia, después de recomendar a Manuelita que se abrigara mucho y que rezara, se durmió arrullada 5 por el ruido monótono del aguacero.

Inútil es decir que la joven no cerró los ojos. Aquélla era la noche de la fuga concertada con el Zarco; él debía venir infaliblemente y ella tenía que esperarlo ya lista con su ropa y el saco que contenía el tesoro, que 10 era preciso ir a sacar al pie de la adelfa. Esta tempestad repentina contrariaba mucho a Manuela. Si no cesaba antes de media noche, iba a hacer un viaje molestísimo, y aun cesando a esa hora, iba a encontrar la huerta convertida en charco y a bañarse completamente debajo 15 de los árboles. Sin embargo, ¿qué no es capaz de soportar una mujer enamorada, con tal de realizar sus propósitos?

Cuando ella conoció que era próximamente la hora señalada, se levantó de puntillas, con los pies desnudos, 20 bien cubierta la cabeza y espaldas con un abrigo de lana, y así alzando su enagua de muselina hasta la rodilla, abrió la puerta de su cuarto, quedito, y se lanzó al patio, alumbrándose con su linterna sorda, que cubría cuidadosamente. 25

Era la última vez que salía de la casa materna, y apenas concedió un pensamiento a la pobre anciana que dormía descuidada y confiando en el amor de su hija querida.

Por lo demás, Manuela, atenta sólo a realizar su fuga, 30 no procuraba otra cosa que apresurarse, y si su corazón latía con violencia, era por el temor de ser sentida y de malograr su empresa.

La Fuga.

Dichosamente para ella, el aguacero seguía en toda
su fuerza, y nadie podría sospechar que ella saliese de
su cuarto con aquel temporal; así es que atravesó rápidamente el patio, se internó entre la arboleda, pasó el
canal que rodeaba el soto de la adelfa, y allí escarbando
de prisa, sin preocuparse de la lluvia, que la había
empapado completamente, y sólo cuidando de que la
linterna no se apagase, extrajo el saco del tesoro, lo
envolvió con su rebozo y se dirigió a la cerca, trepando
por las raíces del amate hasta el lugar en que solía
esperar al Zarco.

Apenas acababa de llegar, cuando oyó el leve silbido
con que su amante se anunciaba, y a la luz de un relámpago pudo distinguirle, envuelto en su negra capa
de hule y arrimándose al cercado.

Pero no venía solo. Acompañábanle otros tres
jinetes, envueltos como él en sendas capas y armados
hasta los dientes.

—¡Maldita noche! —dijo el Zarco, dirigiéndose a
su amada. —Temí que no pudieras salir, mi vida, y
que todo se malograra hoy.

—¡Cómo no, Zarco! —respondió ella, —ya has visto
siempre que cuando doy mi palabra, la cumplo. Era
imposible dejar esto para otra ocasión, pues mañana
llega la tropa y tal vez tendríamos que salir inmediatamente.

—Bueno, ¿ya traes todo?

—Todo está aquí.

—Pues ven, cúbrete con esta capa, —dijo el Zarco
alargando una capa de hule a la joven.

—Es inútil, estoy ya empapada y bien puedo seguir
mojándome.

—No lo hagas, póntela, y este sombrero . . . ¡Vál-

game Dios! —dijo al recibirla entre sus brazos.   —¡ Pobrecita! ¡Si estás hecha una sopa!

—Vámonos, vámonos,   —dijo ella   palpitante,
—¿quiénes son ésos?

—Son mis amigos, que han venido a acompañarme   5
por lo que se ofreciera . . . Vamos, pues; adelante,
muchachos, y antes de que crezca el río, —dijo el Zarco,
picando su caballo, en cuya grupa había colocado al
estilo de la tierra caliente a la hermosa joven.

Y el grupo de jinetes se dirigió apresurado a orillas 10
del pueblo, atravesó el río, que ya comenzaba a crecer,
y se perdió entre las más espesas tinieblas.

XI. ¡Robada!

DOÑA ANTONIA había dormido mal. Después
de su primer sueño, que fué tranquilo y pesado, los
múltiples ruidos de la borrasca acabaron por despertarla. 15
Agitada después por diversos pensamientos y preocu-
paciones a causa de su viaje próximo, comenzó a revolverse en su lecho, presa del insomnio y del malestar.

Parecíale haber escuchado a través de los lejanos
bramidos del trueno, y de los ruidos de la lluvia y del 20
viento entre los árboles, algunos rumores extraños; pero
atribuyó esto a aprensión suya. De buena gana se
habría levantado para ir al cuarto de Manuela a fin de
conversar o de rezar un momento en su compañía; pero
temió interrumpir el sueño de la niña, a quien creía 25
dormida profundamente y acalenturada desde el día
anterior.

Así es que, después de haber pasado largas horas en
aquella situación penosísima, luchando con ideas fu-

nestas y atormentadoras, y con el calor sofocante que había en su cuarto y el que le producía la irritación de la vigilia, cuando oyó que el temporal cesaba, que los árboles parecían quedarse quietos, y que los gallos comenzaban a cantar, anunciando la madrugada y el buen tiempo, la pobre señora acabó por quedarse dormida de nuevo, para no despertar sino muy tarde y cuando los primeros rayos del sol penetraron por las rendijas del cuarto.

Entonces se levantó apresuradamente y corrió al cuarto de su hija.

No la encontró, vió la cama deshecha, pero supuso que se habría levantado mucho antes que ella y que estaría en el patio o en la cocina. La buscó allí, y no hallándola todavía, creyó que andaría recorriendo la huerta, examinando sus flores y viendo los estragos del temporal, y aun se dijo que Manuela hacía mal en exponerse así a la humedad de la mañana, después de haber estado indispuesta el día anterior; que iba a empaparse con el agua de los árboles y a mojarse horriblemente los pies en el lodo de la huerta, que era un bosque espeso, cruzado de canales por todas partes y que se llenaba de charcos con la menor lluvia.

Efectivamente, los naranjos, los zapotes, los mangueros y los bananos dejaban caer una cascada de agua a cada rozamiento de sus ramajes; la luz del sol se reflejaba como en mil diamantes en las gotas de agua que pendían de las menudas hojas, y la grama del suelo se hallaba sumergida en una enorme ciénaga.

Hacía mal la muchacha en andar en la huerta de ese modo.

Y la llamó entonces a gritos para reñirla.

Pero habiendo esperado en vano para verla aparecer,

y no escuchando su respuesta, comenzó a alarmarse, y
corrió a buscarla en los lugares que solía frecuentar.
Tampoco estaba en ellos.   Entonces siguió buscándola
y gritándole en todas direcciones, y habiéndole venido
una idea repentina, volvió a la casa para ver si la puerta   5
de la calle estaba abierta; pero encontrándola perfectamente cerrada y atrancada, tornó a la huerta, llena de
sobresalto, suponiendo que quizás su hija habría sido
mordida por alguna serpiente y se habría desmayado o
tal vez muerto en algún rincón de aquel bosque.   La   10
pobre anciana, pálida como la muerte, convulsa de terror
y de angustia, se internó en lo más espeso de la huerta,
sin cuidarse del lodo ni de la maleza ni de las espinas,
registrándolo todo, llamando por todas partes a su hija
con los epítetos más tiernos y más desesperados, con la   15
garganta seca, con los ojos fuera de las órbitas, pudiendo
apenas respirar, con el corazón saliéndose del pecho,
loca de dolor y de susto.

Pero nada, Manuela no parecía.

—Pero, Dios mío, ¿qué es de mi hija?   —exclamó   20
deteniéndose y apoyándose en un árbol, pues sentía que
las piernas le flaqueaban.

Nadie le contestaba.   La naturaleza seguía indiferente su curso normal.   El sol brillaba de lleno ilumi-
nando el cielo, limpio ya de nubes, en aquella hermosa   25
mañana de estío, más sereno y más azul después de una
noche de borrasca; los pájaros parloteaban alegremente
en las arboledas, zumbaban los insectos entre las flores
y todo parecía cobrar nueva vida en aquella tierra tropical y vigorosa.   30

Sólo la pobre madre desfallecía, apoyada en los
árboles, y sintiendo que el frío de la muerte helaba la
sangre en sus venas.

Pasado un momento de angustiosa parálisis, hizo un esfuerzo desesperado y se arrastró hasta el centro de la huerta. Allí tuvo otra idea; cruzando el canal que rodeaba como un foso el soto de la adelfa, que era como una rotunda de arbustos en medio de la cual descollaba la vieja y florida planta, se dirigió hacia ésta, y al llegar a ella se detuvo sorprendida. Allí, junto al tronco, había un pozo que se había llenado de agua, y sobre la grama estaba tirada una pala, la pequeña pala con que Manuela solía cavar la tierra de su jardín.

Luego observó que, a pesar de la lluvia, la maleza y los arbustos aun permanecían doblados, como si alguna persona se hubiese abierto paso por ellos.

Miró con cuidado el suelo, y en la parte que no estaba cubierta por la grama, distinguió huella de pisadas. Siguió la dirección que ellas marcaban, lo cual era difícil en aquella capa de verdura espesa y áspera que cubría el suelo, y pudo reconocerla hasta el canal. En los bordes cenagosos de éste y en la parte inundada por su crecimiento de la noche, la huella se marcaba mejor; era la huella de pies pequeños y desnudos que se habían enterrado profundamente en el cieno. ¿Quién podía haber andado por ahí esa mañana, si no era Manuela? ¿Y quién podía tener esos pies pequeños, si no la joven? Pero ¿por qué había venido descalza, y habiendo tenido resfrío el día anterior?

La infeliz madre se perdía en conjeturas. Luego, dando algunos pasos más allá de la faja inundada por el canal, volvió a reconocer huella de pisadas; eran las mismas de Manuela, que seguramente tomó la dirección del cercado. En efecto, las huellas seguían hasta la cerca y se detenían junto a las viejas raíces del zapote gigantesco. La anciana trepó con trabajo por ellas, y

como impulsada por un presentimiento terrible. Sobre
la cerca había también señales de haber pasado por ahí
alguno. Las plantas parecían haber sido holladas; los
tallos de algunas estaban rotos. Doña Antonia se
asomó por aquel lugar y examinó atentamente la calle- 5
juela. Vió entonces allí, precisamente al pie del lugar
en que se hallaba, las huellas bien distintas de pezuñas
de caballos, que parecían haberse detenido algún rato y
que debieron haber sido varios porque el lodo estaba
señalado y removido por numerosas huellas repetidas y 10
agrupadas.

La aguda y fría hoja de un puñal que hubiese atravesado su corazón no habría producido a la desdichada
madre la sensación de intenso dolor y de desfallecimiento que semejante vista le causó. 15

No comprendía nada, pero algo horroroso significaba
aquello. ¡Su hija, atravesando la huerta en aquella
noche, dirigiéndose a la cerca, aquellos caballos deteniéndose allí, como para esperarla, porque era evidente
que ningún hombre había andado con ella, todo esto 20
encerraba un misterio inexplicable, pero pavoroso para
la pobre señora! ¿Había huído Manuela con algún
hombre? ¿Había sido robada? ¿Quién podía ser el
raptor?

Doña Antonia apenas pudo dirigirse confusamente 25
tales preguntas, en medio de su atonía y de su terror,
porque se sentía aterrada, aniquilada, permaneciendo
ahí como idiota con los ojos clavados en el lado de la
calle, con los cabellos erizados, con el corazón palpitante hasta ahogarla, muda, sin lágrimas, sin fuerzas, 30
viva imagen de la angustia y del dolor.

Pero una última esperanza pareció hacerla volver en
sí. Pensó que eso era imposible, que era un sueño
todo lo que estaba mirando o que nada tenía que ver

con su hija aquel conjunto de circunstancias; que
Manuela debía haber vuelto a su cuarto, y que si se
hubiera fugado, debía haberse llevado su ropa, sus
alhajas, algo.

Doña Antonia, bajándose precipitadamente de la 5
cerca, se dirigió vacilando como una ebria pero corriendo hacia la casa y el cuarto de Manuela; estaba como
antes, solitario, la cama deshecha, un baúl abierto. No
cabía duda, la joven se había escapado; faltaba su mejor
vestido, faltaban sus camisas bordadas, sus alhajas, su 10
calzado nuevo de raso, sus rebozos. Se había llevado
lo que podía caber en una pequeña maleta.

Entonces la infeliz anciana, convencida ya de su
desdicha, cayó desplomada en el suelo y rompió a llorar, dando alaridos que hubieran conmovido a las 15
piedras. Pasado al fin este arranque de dolor supremo,
salió de la casa como una insensata, sin cuidarse de
cerrarla, y se dirigió a la de su ahijada Pilar, que vivía
por ahí cerca, en casa de unos tíos, porque era huérfana.
Apenas pudo hablarles unas cuantas palabras para 20
explicarles que Manuela había desaparecido y para ro-
garles que fuesen con ella a su casa a fin de cerciorarse
del hecho.

Acompañáronla, en efecto, sorprendidos y asustados
también, especialmente la bella y dulce joven, que lo 25
mismo que su madrina no comprendía nada de tal
misterio.

XII. La Carta

EL EXAMEN de la calle y de la huerta, hecho
por los tíos de Pilar y por Pilar misma, no hizo más
que confirmar las sospechas de doña Antonia. Manuela 30
se había escapado en brazos de un amante.

Los tíos de Pilar encontraron al pie de la cerca, y medio oculta entre la maleza y el lodo, la linterna sorda que había servido a la joven para alumbrarse y que arrojó allí al huir.

Quedaba ahora por averiguar quién o quiénes habían 5 sido los raptores de la joven, y sobre este particular nadie se atrevía a aventurar una sola palabra, porque nadie tenía tampoco en qué fundar la menor conjetura.

La pobre madre, en el paroxismo de su dolor, se había atrevido a mencionar el nombre del honrado 10 herrero de Atlihuayán; pero en el instante, tanto ella como Pilar y sus tíos, habían exclamado con admiración y sorpresa:

—¡Imposible!

—En efecto, ¡imposible! —dijo doña Antonia; —¿qué 15 necesidad tenía Nicolás de arrebatar a la muchacha cuando yo se la habría dado con todo mi corazón? . . . ¡Soy una tonta, y sólo mi aflicción puede disculpar esta palabra imprudente! ¡Que Dios me la perdone! Nicolás no me la perdonaría. 20

—Además, madrina, Nicolás no era querido, y usted lo sabe muy bien, Manuela no podía sufrir ni su presencia. Habría sido preciso que tanto él como ella fingieran aborrecerse para que esto pudiera ser. Pero ¿para qué semejante disimulo? 25

—Pues es claro, —replicó doña Antonia. —No, no hay que pensar en ello; pero entonces, ¿quién, Dios mío?

—Será preciso avisar a la autoridad, —dijo el tío de Pilar. 30

En este momento entró a la casa un muchacho, un trabajadorcito de las cercanías, y dijo que unos hombres que iban a caballo con una señora le habían encontrado muy de madrugada y le habían detenido más allá de Atlihuayán y al empezar la cuesta del monte, y que la señora, que era muchacha, le había dicho que viniera a Yautepec a traer una carta a su mamá, dándole las señas de la casa.

Doña Antonia abrió apresuradamente el papel, que estaba escrito con lápiz y que no contenía más que estas breves palabras:

"Mamá:

"Perdóname, pero era preciso que hiciera lo que he hecho. Me voy con un hombre a quien quiero mucho, aunque no puedo casarme con él por ahora. No me llores, porque soy feliz, y que no nos persigan, porque es inútil.

Manuela."

Al oír estas palabras, todos se quedaron asombrados y mudos, pintándose en sus semblantes la sorpresa y el disgusto que semejante proceder en Manuela les causaba, habiendo sido hasta allí una buena hija. La pobre madre dejó caer el papel de las manos y quedó un momento con la cabeza inclinada, fijos los ojos en tierra, abatida, silenciosa, sombría, como insensata, hasta que un rato después hizo estallar su dolor en terribles sollozos. Acudieron a abrazarla y a consolarla su ahijada y los tíos, sin saber qué decirle, sin embargo, para calmar su pena.

—¿Y a quién quejarme ahora? —exclamó. —Aconséjenme ustedes, —dijo, —¿qué haré?

—Veremos al prefecto, —respondió el tío de Pilar. —Es necesario que la autoridad tome sus providencias.

—Pero ¡qué providencias! —repuso la anciana, —cuando ven ustedes que las autoridades mismas no se atreven a salir de la población ni tienen tropas ni manera de hacerse respetar . . . ¡Si estamos abandonados de Dios! —añadió desesperada.

—Pero ¿quién podrá ser, pues, el hombre que se la ha llevado? —dijo Pilar, —porque yo no atino absolutamente y es preciso tener siquiera una sospecha que sirviera de indicación . . .

—¡Y estar yo sola, absolutamente sola! —exclamó doña Antonia, torciéndose las manos de dolor. —¡Ah! ¡cómo han abusado de una infeliz vieja, viuda y desamparada!

—No tan sola, madrina, no está usted tan sola, —replicó vivamente Pilar. —¿No cuenta usted con la amistad de Nicolás?

—Es verdad, hija mía, lo había olvidado en mi desesperación. Tengo a ese hombre generoso, que todavía ayer me decía que sin interés ninguno en Manuela, de quien estaba seguro que no lo quería, podía yo contar enteramente con su apoyo. Tienes razón, voy a escribirle al momento.

—No es preciso, —dijo el tío de Pilar; —yo voy a ensillar en un instante y corro a Atlihuayán para traer a Nicolás. Es necesario que nos ayude siquiera a indagar esto.

El anciano se levantaba para cumplir su oferta, cuando se oyó el ruido de un caballo en la calle y un hombre se apeó en la puerta de la casa.

Era el herrero de Atlihuayán. Todos se levantaron para correr hacia él; doña Antonia se adelantó, y apenas pudo tenderle los brazos y decirle sollozando:

—Nicolás, ¡Manuela ha huído!

El joven se puso densamente pálido y murmuró tristemente, con un gesto de amargo desdén:

—¡Ah! ¡sí, mis sospechas se confirman!

—¿Qué sospechas? —preguntaron todos.

El herrero condujo a la señora al cuarto y, todavía de pie, dijo:

—Esta mañana muy temprano un guarda-campo vino a decirnos al administrador y a mí, que en la madrugada, recorriendo los campos que están al pie del monte, y cuando ya había cesado el aguacero, encontró en su casita, en la que no había dormido, a un grupo que se preparaba a salir y a montar a caballo y que seguramente se había guarecido allí del temporal; que recelando de que fuese gente mala, no se acercó por el camino, sino que se metió entre las cañas para observarlo bien. En efecto, eran plateados, cuatro hombres y una mujer muy hermosa, que llevaba sombrero de alas angostas, muy lleno de plata, al que estaba atando un pañuelo blanco, antes de montar. Por esta detención, pudo reconocerlos bien. A la niña se figuró haberla visto algunas veces en esta población, y el hombre que parecía jefe de los otros era el Zarco.

—¡El Zarco! —exclamaron todos aterrados.

—¡El mismo, el más terrible y malvado de esos bandidos, que según dicen es joven y no mal parecido! Éste fué quien abrazó a la joven para montarla y quien parece que la llevaba. En el acto emprendieron todos y a gran priesa el camino de la montaña, sin reparar en el guarda-campo que no los perdió de vista hasta que ellos encumbraron y se alejaron entre las breñas. Entonces vino a dar parte. Yo no sé qué horrible presentimiento tuve, y sin darme cuenta de por qué lo hacía, monté a caballo y vine a ver si había ocurrido aquí alguna novedad . . . Así es, —añadió con intensa amargura, —que ya saben ustedes con quién se fué Manuela.

—¡Ah! ¡con razón dice que es inútil perseguirla!
—exclamó colérica doña Antonia, mostrando a Nicolás
el papel, que él estuvo examinando con profunda
atención.

—Efectivamente, —repuso el joven, —es perfecta- 5
mente inútil. ¿Quién iría a perseguir a ese bandido a
su cuartel general en que tiene más de quinientos
hombres que lo defienden? Y sobre todo, ¿para qué?
¿No se ha ido ella con toda su voluntad? Cuando una
mujer da ese paso, es porque está apasionada del hombre 10
con quien se va. Perseguirla sería matarla también a
ella.

—Preferiría yo verla muerta a saber que está en
brazos de un ladrón y asesino como ése, —dijo resuelta
doña Antonia. —No es ahora sólo dolor lo que siento; 15
es vergüenza, es rabia . . . Quisiera ser hombre y fuerte,
y les aseguro a ustedes que iría a buscar a esa desdichada aunque me mataran; ¡mejor para mí! ¡Un
plateado! ¡Un plateado! —murmuró convulsa de ira.

—Pues bien, señora, yo estoy dispuesto a hacer lo que 20
usted quiera, por más que me parezca inútil la persecución, no tanto por la gente que acompaña al Zarco,
sino por la voluntad terminante con que Manuelita le
ha seguido. Verdaderamente, no ha habido rapto.

—Pero ¿yo puedo consentir en que mi hija, por más 25
loca de amor que esté, siga a un bandido? ¿Y mis
derechos de madre?

—Sus derechos de usted como madre no pueden ser
representados sino por la autoridad en este caso, care-
ciendo usted de un pariente próximo, —dijo el tío de 30
Pilar. —Nosotros ayudaremos a la autoridad, pero es
necesario que ella sea quien ordene. ¿Y cree usted que
se atreverá con esos bandoleros, cuando apenas puede
hacerse obedecer en la población?

—Pero si quisiera . . . hoy llega la caballería del gobierno.

—Veremos al prefecto, —replicó el anciano, —para decidirle a que hable al jefe de esa fuerza.

En este momento se oyeron trompetas resonando en 5 la plaza. La caballería del gobierno entraba con toda solemnidad en la población.

Doña Antonia, enloquecida de ira y de dolor, salió apresuradamente de la casa con la intención de hablar al prefecto. 10

XIII. *El Comandante*

EL POBRE prefecto se hallaba en la casa del Ayuntamiento, vestido con su traje dominguero para recibir a la tropa con los honores debidos, y en el momento en que llegó doña Antonia, acompañada del tío de Pilar y de Nicolás, que la había seguido por 15 deferencia, se entretenía en ver a aquella fuerza mal vestida y peor montada, que se formaba en la placita para pasar lista. Mandábala un comandante de mala catadura, vestido de una manera singular, con uniforme militar desgarrado, y cubierto con un sombrero charro 20 viejo y sucio.

Luego que acabó de pasar su lista, el comandante vino a saludar al prefecto y a manifestarle, lo que era de cajón entonces, que necesitaba raciones para sus soldados y forraje para su caballada, pues debía con- 25 tinuar su marcha esa tarde.

El prefecto dió las órdenes convenientes para facili- tar esos elementos, imponiendo a los vecinos acomoda- dos semejante carga, que ellos estaban ya acostumbrados a soportar hacía tiempo. 30

Después la tropa se acuarteló y el comandante y algunos oficiales fueron invitados por el prefecto a tomar algunas copas y a comer en la Prefectura.

Tales eran los deberes que se imponía entonces la autoridad política de los pueblos para con esos militares que ni defendían a la gente pacífica ni se atrevían a encararse con los bandidos de que estaba llena la comarca.

—¿Qué tal, comandante, —preguntó el prefecto, —ayer y antier han tenido ustedes una buena tarea con los plateados?

—Fuerte, señor prefecto, —respondió el comandante, atusándose los bigotes, —muy fuerte; no hemos descansado ni de día ni de noche.

—¿Y lograron ustedes algo?

—¡Oh! les dimos una derrotada a los plateados, terrible. Estoy seguro de que en muchos días no volverán a aparecerse en la cañada de Cuernavaca. Han quedado escarmentados.

—Sí, señor comandante, eso estuvo bueno siempre; pero, por fin, ¿y el Zarco?

—El Zarco, señor prefecto, debe hallarse ahora muy lejos de aquí; tal vez en el distrito de Matamoros o cerca de Puebla, para repartirse su botín con toda seguridad. ¡Bonito él para haberse quedado en este rumbo!

—Pero dicen, —objetó el prefecto, —que tiene su madriguera en Xochimancas, a pocas leguas de aquí, y que cuenta con más de quinientos hombres. Al menos es lo que se dice por aquí, y lo sabemos, porque frecuentemente se desprenden de allí partidas para asaltar las haciendas y los pueblos. En esa madriguera es donde guardan sus robos, en donde tienen a los

plagiados, sus caballos, sus municiones, en fin; parece,
según noticias que recibimos diariamente, que allí viven
como en una fortaleza, que tienen hasta piezas de
artillería, hasta músicas y charangas que llevan algunas
veces a sus expediciones, y que les sirven también para 5
divertirse en sus bailes.

—Ya sé, ya sé, —replicó el comandante con cierto
enfado; —pero usted conoce lo que son las exagera-
ciones del vulgo. Todo eso son cuentos; habrán buscado allí refugio alguna vez, habrán permanecido allí 10
dos o tres días, habrán hecho tocar dos o tres clarines,
y el miedo de los pueblos ha inventado lo demás,
porque no me negará usted, señor prefecto, que
ustedes viven muertos de miedo y que ni parecen
hombres los que habitan en estas comarcas. 15

—Pero, con razón, señor comandante, —dijo el prefecto, picado en lo vivo, —con muchísima justicia; si
todo eso que usted dice que son cuentos, nos parecen
a nosotros realidades; si vemos atravesar por nuestros
caminos partidas de cien y de doscientos hombres, bien 20
armados y montados; si se llevan al cerro todos los días
a los vecinos de los pueblos y a los dependientes de las
haciendas; si se meten dondequiera como en su casa,
¿cómo no hemos de creer? . . .

—Pues bien, y ustedes ¿por qué no se defienden? 25
¿por qué no se arman?

—Porque no tenemos con qué, todos estamos des-
armados.

—Pero, ¿por qué?

—Le diré a usted: teníamos armas para la defensa 30
de las poblaciones, es decir, armas que pertenecían a
las autoridades y armas que habían comprado los vecinos para su defensa personal. Hasta los más pobres

tenían sus escopetas, sus pistolas, sus machetes. Pero pasó primero Márquez con los reaccionarios y quitó todas las armas y los caballos que pudo encontrar en la población. Algunas armas se escaparon, sin embargo, y algunos caballos también, pero pasó después el general González Ortega con las tropas liberales y mandó recoger todas esas armas y todos los caballos que habían quedado, de manera que nos dejó con los brazos cruzados. Luego, los bandidos apenas saben que alguno tiene un caballo regular, cuando en el acto se meten a cogerlo. ¿Quién quiere usted que compre ya ni armas, ni caballos, sabiendo que los ha de perder de todos modos? . . . Además, aun cuando nos queden machetes y cuchillos, ¿cree usted que nos vamos a poner con quienes traen buenos mosquetes y rifles?

—Pues, hombre, —replicó el militar reflexionando, —eso sí está malísimo, porque así cualquiera puede burlarse de ustedes, ¿y qué hacen, entonces?

—Lo único que hacemos es huir o escondernos. Tenemos un vigilante en la torre durante el día. Cuando toca la campana, dando la alarma, las familias se esconden en el curato o donde pueden, en lo más oculto de las huertas; los hombres corren y las autoridades . . . nos sumimos, —añadió el pobre prefecto, encogiéndose de hombros en ademán de vergüenza y de resignación.

En el instante en que el prefecto acababa de hablar, doña Antonia, cansada de esperar que concluyese la conversación, se hizo anunciar por conducto del secretario de la oficina, diciendo que tenía un negocio muy urgente que comunicar, tanto al prefecto como al comandante.

—Que entre, —dijo el prefecto.

Doña Antonia se presentó llorando y desesperada.

—¿Qué le pasa a usted, doña Antonia? —preguntó el prefecto con interés.

—¿Qué me ha de pasar, señor prefecto? Una gran desgracia; que mi hija ha sido robada anoche.

—¡Su hija de usted! ¡Manuelita! ¡la muchacha más linda de Yautepec! —dijo el prefecto dirigiéndose al comandante, que se volvió todo orejas.

—Sí, señor, Manuela, ¡me la han robado!

—¿Y quién, vamos, diga usted?

—¡El Zarco! —exclamó furiosa doña Antonia, —ese gran ladrón y asesino.

—¿Ya ve usted, señor comandante? —dijo el prefecto, sonriendo con malicia. —No anda tan lejos como usted creía; todavía está por aquí robándose muchachas, después de haber robado en la Cañada.

—Pero ¿cómo ha sido eso? . . . diga usted pronto, señora, —dijo el militar levantándose.

Doña Antonia refirió los hechos que ya conocemos. Nicolás fué llamado a declarar lo que sabía, y no hubo ya duda de que, en efecto, el Zarco había sido el raptor.

—Y bien, ¿qué quiere usted ahora que se haga?

—Señor, —respondió la anciana en actitud suplicante, —que usted haga perseguir a ese bandolero, que le quiten a mi hija, y yo daré lo poco que tengo si lo logran. Que la traigan viva o muerta, pero ha de ser pronto, señor; pueden encontrarla muy cerca de aquí, en Xochimancas, que es donde el Zarco tiene su madriguera. Ya sé, señor prefecto, que usted no tiene tropa ni gente de quien disponer para eso; pero ahora que está aquí este señor militar con su tropa, puede prestar este servicio a la justicia y a la humanidad.

—¿Qué dice usted, comandante? —preguntó con sorna el prefecto.

—¡Imposible, señor prefecto, imposible! —repitió con resolución; —yo tengo orden de continuar mi marcha para Cuautla. ¡La tropa del gobierno no puede 5 perder el tiempo en andar rescatando muchachas bonitas! Además, yo no conozco bien estos terrenos.

—Pero yo sí los conozco, —dijo Nicolás, —y si el señor prefecto lo dispusiera, algunos amigos míos y yo acompañaríamos a la tropa del gobierno para guiarla y 10 ayudarla en sus pesquisas.

—Pues si este muchacho tiene algunos amigos que lo acompañen, supongo que armados, ¿por qué no va él a hacer la persecución? —preguntó el comandante.

—Porque sería lo mismo que sacrificarnos inútil- 15 mente, —respondió Nicolás. —Mis amigos y yo seremos a todo rigor diez, y los bandidos a quienes podemos encontrar en Xochimancas pasan de quinientos o por lo menos trescientos; ¿qué podríamos hacer diez contra trescientos? Moriríamos estérilmente. No así yendo 20 la tropa del gobierno, porque tiene más de cien hombres, y además los que iríamos de aquí, que estamos bien armados y que, apoyados por la tropa, serviríamos de algo. Conocemos caminos por los que lograríamos sorprender a los plateados. 25

—Pero ¿todo ese empeño por una muchacha? —dijo el comandante, que no se dejaba convencer.

—No, señor, —repuso indignado Nicolás; —no sería nada más por la muchacha, porque se lograrían otros fines que son de mayor importancia. Se lograría 30 acabar con esa guarida de malhechores que tienen azorado el distrito; se lograría tal vez matar o coger a los bandidos a quienes persiguió el señor comandante ayer y antier inútilmente; se les quitaría el robo que tienen guardado allí; y el señor comandante cumpliría con su deber, restableciendo la seguridad en todo este rumbo.

—A mí nadie me enseña mis deberes como soldado, —respondió el comandante con los ojos centelleantes de cólera, y comprendiendo que no podía contestar de otro modo a las razones del joven. —Yo sé lo que debo hacer y para eso tengo superiores que me ordenen lo que crean conveniente. ¿Quién es usted, amigo, para venir aquí a imponerme leyes y a hablarme con ese tono?

—Señor, —dijo Nicolás, encarándose con dignidad al comandante, —yo soy un vecino honrado del distrito; soy el encargado de la herrería de la hacienda de Atlihuayán, y el señor prefecto sabe que he prestado no pocos servicios cuando la autoridad los ha necesitado de mí. Además, soy un ciudadano que sabe perfectamente que usted es un jefe de seguridad pública, que la tropa que usted trae está pagada para proteger a los pueblos, porque no es tropa de línea, consagrada esclusivamente al servicio militar de la Federación, sino que es fuerza del estado, despachada para perseguir ladrones, y ahora precisamente le estamos proporcionando a usted la oportunidad de cumplir con su comisión.

—¿Usted qué sabe de eso, don cualquiera, ni qué tiene usted que gritarme aquí, ni que leerme la cartilla, ni quién le ha dado a usted facultades para hablarme en ese tono? ¿Quién es ese hombre, señor prefecto? —preguntó el comandante en el paroxismo del furor.

—Este muchacho, —respondió el prefecto palideciendo, porque temía algún desmán, —este señor es, en efecto, un vecino muy honrado y muy apreciable, que ha prestado muy buenos servicios a los pueblos y que es muy estimado de todos.

—Pues no le valdrá todo eso de nada, —dijo el comandante; —yo le enseñaré a faltar al respeto a los militares.

Y saliendo precipitadamente de la pieza, gritó a varios soldados que estaban por ahí:

—¡Hola, sargento, préndanme ustedes a ese pícaro y ténganle en el cuartel con centinela de vista! Si se mueve, mátenle.

—¡Bonita manera de arreglar las cosas! —murmuró Nicolás, mirando al comandante con un gesto de profundísimo desdén.

—¡Ahora verá usted si me echa bravatas, insolente!

—Pero, señor comandante, —dijo el pobre prefecto, interponiéndose en actitud suplicante, —dispense usted a este muchacho; es un exaltado, pero es hombre de bien, incapaz de cometer el más mínimo delito.

—¡Cállese usted, señor prefecto, —replicó el militar, —cállese usted o también me le llevo! ¡Ya verá usted si hago otro ejemplar! Llévenselo, llévenselo, —dijo a los soldados que se apoderaron de Nicolás, el cual no hizo ninguna resistencia, contentándose con decir al prefecto:

—No ruegue usted, señor prefecto; deje usted que hagan lo que quieran, pero no humille usted su autoridad.

Sin embargo, el prefecto comprendía que aquel militar fanfarrón y cobarde era capaz de cumplir sus amenazas. Por eso envió inmediatamente aviso al administrador de la hacienda de Atlihuayán, quien en el acto montó a caballo y se dirigió a Yautepec, acompañado de los dependientes principales de la hacienda, con el objeto de procurar la libertad del honrado herrero.

XIV. *Pilar*

CUANDO LOS soldados se llevaron a Nicolás preso, doña Antonia ni aún fuerzas tuvo para levantarse y seguirle, contentándose con gemir en un banco de la prefectura.

Por fin, cuando el prefecto salió, ella también, acompañada del tío de Pilar y de varios vecinos, se dirigió a la casa, en donde la esperaban aquella joven, sus tíos y algunos vecinos y vecinas que se interesaban en su desgracia.

La noticia de la prisión de Nicolás era para Pilar un rayo. Se sintió trastornada, pero disimuló cuanto pudo su ansiedad y su congoja en presencia de sus tíos y de aquellas gentes extrañas, tomó su rebozo, y pretextando que iba a traer algunas medicinas, se lanzó a la calle.

¿A dónde iba? Ni ella misma lo sabía; pero sentía la necesidad de ver a Nicolás, de hablarle, de ver a algunas personas, de procurar, en fin, salvar a aquel joven generoso que mucho tiempo hacía era el ídolo de su corazón, ídolo tanto más amado cuanto que había tenido que rendirle culto en silencio y en presencia de una rival muy querida de él y muy querida también de ella.

En otras circunstancias, ella, dulce, resignada por carácter, tímida y ruborosa, habría muerto antes que revelar el secreto que hacía al mismo tiempo su delicia y el tormento de su corazón.

Pero en aquellos momentos, cuando la vida del joven estaba peligrando y le suponía desamparado de todos y entre las garras de aquellos militares arbitrarios y feroces, la buena y virtuosa joven no tuvo en cuenta su

El Herrero Prisionero.

edad ni su sexo; no temió para nada el qué dirán de
las gentes de su pueblo; no pensó más que en la salvación de Nicolás, y por conseguirla salió de la casa de su
madrina y se dirigió apresuradamente al cuartel en que
le habían dicho que acababan de poner incomunicado al   5
herrero.

Éste no se hallaba encerrado en prisión alguna, porque aquel cuartel provisional estaba en una casa de la
población que no tenía las condiciones requeridas. Así
es que Nicolás había sido puesto en un portal que daba   10
a la calle, y allí le guardaban dos centinelas de vista y
la guardia, que se hallaba alojada allí mismo. De modo
que la joven pudo verle desde luego, mezclándose al

grupo de gente que se había acercado a la casa por curiosidad.

Pilar se salió del grupo y, adelantándose hacia el prisionero, que reparó en ella en el instante, y que se levantó en ademán de recibirla, no pudo pronunciar más que esta palabra, entre ahogados sollozos:

—¡Nicolás!

Y cayó de rodillas en el suelo, muda de dolor y anegada en llanto.

Nicolás iba a hablarle, pero el sargento de la guardia se interpuso, y algo compadecido de la joven, le dijo:

—Sepárese, señorita, porque el reo está incomunicado y no puede hablarle.

—¡Pero si es mi . . . pero si es pariente mío! —dijo Pilar en ademán de súplica.

—No le hace, —respondió el sargento, —no puede usted hablarle; lo siento mucho, pero es la orden.

—¡Una palabra nada más! ¡por compasión, déjeme usted hablarle una sola palabra!

—No se puede, niña, —dijo el sargento; —retírese usted; si viene el comandante puede que la maltrate, y es mejor que se vaya . . .

—¡Que me mate, —dijo ella, —pero que se salve él!

Estas palabras, que llegaron a los oídos de Nicolás, muy claras y perceptibles, le revelaron toda la verdad de lo que pasaba en el alma de la hermosa joven y fueron para él como una luz esplendorosa que iluminó las nubes sombrías en que naufragaba su espíritu. ¡Pilar le amaba, y ella sí que sabía amar! De manera que él había estado embriagándose por mucho tiempo en el aroma letal de la flor venenosa, y había dejado indiferente a su lado a la flor modesta y que podía darle la vida.

¡Qué dicha la suya en saberlo! pero ¡qué horrible desventura la de saberlo en aquel momento, tal vez el último de su existencia, porque Nicolás no dudaba de que el comandante ejercería su venganza en el camino aquella misma tarde! Había sido la humillación del militar tan cruel y tan vergonzosa, que no podría perdonarla, con tanta más seguridad cuanto que, en aquel tiempo, ningún temor podría contenerle, siendo esta clase de arbitrariedades y crímenes el pan de cada día.

Pasó por la cabeza de Nicolás como un vértigo todo aquello; era superior a sus fuerzas con ser ellas tantas, y con tener un carácter de bronce, como el suyo, fundido al fuego de todos los sufrimientos. No quiso ver más; cubrióse el rostro con las manos, como para no dejar ver dos lágrimas que brotaron de sus ojos. Pero pasado ese instante de crisis tremenda, se levantó de nuevo para ver a Pilar. Ésta, empujada suavemente por el sargento, se alejaba del cuerpo de guardia, pero volvía frecuentemente la cabeza buscando a Nicolás. En una de esas veces, Nicolás le dió las gracias poniendo la mano sobre su corazón y le hizo seña de que se alejara. ¡Hubiera querido expresarle con el ademán cuánto gozaba sabiendo que era amado por ella, y asegurarla que, en aquel momento, un amor profundo y tierno acababa de germinar en su corazón sobre las cenizas de su amor malsano de los días pasados!

Pero aquella gente curiosa, aquellos soldados le habían impedido tal expansión, y más que todo su sorpresa, su aturdimiento, casi podría decirse su felicidad. Así, pues, volvió a caer desplomado en el banco de piedra en que le habían permitido sentarse y se abandonó a profundas y amargas reflexiones.

Pilar, entretanto, no descansó un instante. Fué a ver

al prefecto, a quien encontró precisamente con los dependientes de la hacienda que deliberaban acerca de lo que debía hacerse para evitar que Nicolás fuese llevado preso. La joven se presentó a ellos llorando, les suplicó que a toda costa no abandonasen a Nicolás, y que si era posible le acompañaran en la marcha, porque tal vez eso evitaría que se cometiera un crimen en el camino, y no se retiró sino cuando todos le aseguraron que, si no conseguían libertarle inmediatamente, acompañarían a la tropa.

Después se volvió a su casa y preparó algún alimento que llevó al prisionero ella misma, teniendo cuidado de confiarlo al sargento que antes le había hablado, y a quien deslizó una moneda en la mano, rogándole que dijese al preso que no tuviese cuidado, que velarían por él.

Nicolás comprendió que la joven había hecho mil gestiones en su favor, pero ¿cuáles fueron esas gestiones, y de qué modo y quiénes velarían por él? Eso no lo sabía, ni necesitaba saberlo. Desde aquel momento, algo como la confianza de un ser divino se hizo lugar en su ánimo. Había un ángel que le protegía, y por más que el herrero supiese que Pilar era una niña obscura, débil, tímida, sin relaciones poderosas, algo le decía íntimamente que esa niña, inspirada por el amor, se había convertido en una mujer fuerte, atrevida y fecunda en recursos.

Así, pues, reanimado con aquella seguridad interior, ya no temió por su existencia y se abandonó a su suerte confiado y tranquilo.

Apenas acababa de hacer estas reflexiones consoladoras y de tomar algún alimento, cuando se tocó en el cuartel la botasilla, y la tropa se preparó a marchar.

Un rato después trajeron a Nicolás un caballo flaco
y mal ensillado, y le obligaron a montar en él y a colocarse entre filas. Luego se formó la caballería y el
comandante, poniéndose a la cabeza de la tropa, salió
de la población, mirando con ceño a los numerosos   5
grupos de gente que se agolpaban en las calles para
manifestar su interés en favor del joven herrero, que
marchaba tranquilo en medio de los dragones.

Nicolás buscaba con anhelo entre aquellos grupos a
la bella niña, y no encontrándola, su frente se nubló. 10
Pero al llegar la tropa a la orilla del pueblo, y entrando
en el camino que conduce a Cuautla por las haciendas,
se encontró un gran grupo de gente a caballo, compuesto del prefecto, de los regidores, del administrador
de Atlihuayán, de sus dependientes y de otros particu- 15
lares muy bien armados. Junto a ellos y en la puerta
de una cabaña, al extremo de una gran huerta, se
hallaban Pilar y sus tíos. La hermosa joven tenía los
ojos encarnados, pero se mostraba tranquila y procuró
sonreír al descubrir a Nicolás y al decirle adiós, como 20
diciéndole: Hasta luego.

Nicolás, al verla, ya no pensó más en su situación,
sintió solamente el vértigo del amor, el golpe de la
sangre que afluía a su corazón, y que ofuscaba sus ojos
con un dulce desvanecimiento. Púsose encendido,   25
saludó a Pilar con apasionado cariño, y volvió varias
veces la vista para fijar en ella una mirada de adoración
y de gratitud. La amaba ya profundamente; aquel
amor acababa de germinar en su alma y había echado
ya hondas raíces en ella. En tres horas había vivido la 30
vida de tres años, y había poblado aquella fantasía
ardiente con todos los sueños de una dicha retrospectiva
y malograda.

Por su parte Pilar no ocultaba ya sus sentimientos desde el instante que ellos estallaron con motivo del terrible riesgo que estaba corriendo Nicolás. Salvarlo era ahora todo su objeto, y poco le importaba lo demás.

El famoso comandante, que según ha podido comprenderse era demasiado receloso, se alarmó al ver aquella cabalgata que parecía esperarlo en actitud amenazadora, y picando su caballo se dirigió al prefecto.

—¡Hola, señor prefecto! ¿qué hace tanta gente aquí?

—Esperándolo a usted, —respondió el funcionario.

—¿A mí? ¿y para qué?

—Para acompañarlo, señor, hasta Cuautla.

—¿Acompañarme? ¿y con qué objeto?

—Con el de responder de la conducta de ese muchacho a quien lleva usted preso, ante la autoridad a quien va usted a presentarlo.

—¿Y qué autoridad es ésa, señor prefecto?

—Usted debe saberlo, —respondió secamente el prefecto, que parecía más resuelto, apoyado como estaba por numerosos vecinos bien armados. —Yo sólo sé que soy aquí la primera autoridad política del distrito, y que no tengo superior en él en lo relativo a mis facultades. El señor juez de primera instancia es también la primera autoridad del distrito en el ramo judicial; él está aquí, porque lo es actualmente el señor alcalde. Así es que, supuesto que usted se lleva preso a un ciudadano que de uno o de otro modo debería estar sometido a nuestra jurisdicción, claro es que va usted a presentarlo a alguna autoridad que sea superior a la nuestra, y nosotros vamos a presentarnos también a esa autoridad para informarle de todo y para lo que haya lugar.

—Pero ¿sabe usted que yo tengo facultades para

hacer lo que hago? —dijo el militar, queriendo salir del aprieto en que lo habían puesto las razones del prefecto.

—No, no lo sé, —contestó éste, —usted no ha tenido la bondad de enseñarme la orden que así lo diga, ni a 5 mí se me ha comunicado nada por el gobierno del Estado, que es mi superior. Si usted trae la orden . . . puede enseñármela.

—Yo no tengo que enseñarle a usted órdenes ningunas, —respondió el militar con altanería. —Yo no 10 recibo órdenes más que de mis jefes, ni tengo que dar cuenta de mi conducta más que a ellos.

—Por eso vamos a ver a esos jefes de usted, —replicó el prefecto con decisión.

—Pues entonces es inútil que ustedes me acompañen, 15 porque mis jefes no están en Cuautla, sino en México.

—Pues iremos a México, —insistió el prefecto, secundado por el administrador de Atlihuayán, que también repitió:

—¡Sí, señor, iremos a México! 20

—Y ¿si yo no lo permito?

—Usted no puede impedir que sigamos a la tropa de usted. Yo soy el prefecto de Yautepec, conmigo vienen el Ayuntamiento y varios vecinos honrados y pacíficos; ¿con qué derecho nos podría usted evitar que fuésemos 25 adonde usted va?

—Pero ¿saben ustedes que ya me está fastidiando esta farsa y que puedo hacer que se concluya?

—Haga usted lo que guste; nosotros haremos entonces lo que debemos. 30

El comandante estaba furioso. Mandó hacer alto a su caballería y conferenció un momento con sus capitanes. Tal vez hubiera querido cometer una arbitrariedad, pero no era fácil que ella quedara impune. El prefecto estaba allí acompañado del Ayuntamiento, de los dependientes de la hacienda de Atlihuayán y de numerosos vecinos bien montados y armados. En un momento podían reunirse otros vecinos, aunque sin armas, y tomar aquello un aspecto formidable.

El comandante decidió, pues, soportar aquella afrenta, pero no soltar a Nicolás. Volvió hacia el grupo en que se hallaba el prefecto, y le dijo:

—¿De manera que ustedes han salido para quitarme al reo, al hombre?

—No, señor, —replicó el prefecto; —ya hemos dicho a usted que nuestro objeto es seguir hasta Cuautla o hasta México, y no podrá usted acusarnos de agresión alguna.

—¡Era bueno que ustedes mostraran esta resistencia contra los bandidos, como la muestran contra las tropas del gobierno!

—Sí, la mostraríamos, —replicó indignado el prefecto, —si las tropas del gobierno en lugar de perseguir a esos bandidos, pues para eso les pagan, no se emplearan en perseguir a los hombres de bien. Se le ha ofrecido a usted el auxilio de hombres de aquí para perseguir a los plateados, y usted no lo ha querido, y precisamente ése es el delito por el que lleva usted preso a ese honrado sujeto.

—Bueno, bueno, —dijo el comandante, —pues ya veremos quién tiene razón; síganme ustedes adonde quieran, que lo mismo me da . . .

Y mandó continuar la marcha.

El prefecto siguió al lado de la columna de caballería, pero Nicolás pudo ya estar seguro de que nada le sucedería.

Así caminaron toda la tarde y, ya bien entrada la
noche, llegaron a Cuautla, en donde el prefecto de
Yautepec fué a hablar a su colega del distrito de Morelos y a poner en juego todas sus relaciones con el objeto
de lograr la libertad del herrero.   5

El comandante puso un extraordinario a Cuernavaca,
acusando al joven como hombre peligroso para la
tranquilidad pública, presentando lo acaecido en Yautepec como una rebelión, y dándose aires de salvador y
enérgico, pero el prefecto de Yautepec y el Ayunta-   10
miento, así como las autoridades de Cuautla, se dirigie-
ron al gobernador del Estado y al gobierno federal, y
el administrador de Atlihuayán al dueño de la hacienda
y a sus amigos de México, relatando lo ocurrido.
Cruzáronse numerosos oficios, informes, recomenda-   15
ciones, y se gastó tinta y dinero para aclarar aquel
asunto.   Nicolás permaneció preso en el cuartel de
aquella tropa, que aun esperaba órdenes para escoltar
al amigo del Presidente.   Pero al tercer día llegó una
orden directa del Ministerio de la Guerra para poner   20
en libertad al joven herrero, mandando que el comandante se presentase en México a responder de su conducta.

Todo este embrollo y esta irregularidad eran cosas
frecuentes en aquella época de guerra civil y de con-   25
fusión.

Así pues, del rapto cometido por el Zarco, sólo
habían resultado la grave enfermedad de la pobre madre
y la prisión del herrero de Atlihuayán, la conmoción
de la autoridad de Yautepec, muchas comunicaciones,   30
muchos pasos, muchas lágrimas, pero el delito había
quedado impune.

Verdad es que también había resultado la dicha de

dos corazones buenos; éste era el único rayo de sol que iluminaba aquel cuadro de desorden, de vicio y de miseria.

XV. *El Amor Bueno*

NICOLÁS, APENAS libre, voló a Yautepec. ¿Qué había pasado allí durante su corta ausencia? ¡Temblaba de pensar en ello! Incomunicado rigurosamente desde que salió de aquella población hasta que fué puesto en libertad, nada había podido saber acerca de la suerte de doña Antonia, ni de Pilar; pero apenas pudo comunicarse con algunos de los vecinos de Yautepec, que habían acudido a hablarle, cuando supo que la infeliz madre de Manuela, demasiado débil para resistir tantos golpes, había caído en cama, atacada de un violento acceso de fiebre cerebral. Era muy posible que la pobre señora hubiese sucumbido. ¿Y Pilar? Indudablemente la buena y bella joven habría prodigado toda especie de cuidados a su madrina; era seguro que no se habría separado un solo instante del lecho de la enferma, que, abandonada tan miserablemente por su hija, se encontraba, sin embargo, rodeada de gentes bondadosas y caritativas, pero sobre todo de aquel ángel, que más que su ahijada, parecía ser su verdadera hija, heredera de su virtud, de su sensatez y de su noble carácter.

Pero en el seno de aquella familia improvisada por la desgracia, junto al lecho de aquella anciana moribunda, hacía falta un hombre, un apoyo, una fuerza que infundiera aliento a los demás y proveyese a las necesidades que siempre aumenta el desamparo. Y ese hombre, ¿quién podía ser sino él, Nicolás, el hombre a

quien aquella virtuosa señora había escogido para su
yerno, y había amado como a un hijo suyo, el que, a
su vez huérfano desde su infancia, había concentrado
en ella todo su afecto filial? ¡Cómo le habría buscado
la enferma en su delirio! ¡Cómo habría también Pilar   5
invocado su nombre, en silencio, deseando verle a su
lado, en aquellos momentos de horrorosa angustia!
Este último pensamiento era en medio de su ansiedad,
como una gota de néctar que caía en su corazón, que
rebosaba amargura.   10

Desde su salida de Yautepec, preso y amenazado de
muerte por aquel militar insolente y arbitrario, Nicolás
no había hecho más que pensar en aquellos dos objetos
de su cariño: doña Antonia y Pilar, y su espíritu agitado pasaba sin cesar del infortunio de la desdichada   15
señora al amor de la hermosa joven, amor tanto más
grato cuanto que se había revelado de súbito, y justamente cuando se habían obscurecido para él todos los
horizontes de la vida.

Así es que aquel enamorado joven, en los días pre-   20
cedentes, apenas había concedido su atención al estado
que guardaba, a la incomunicación en que se mantenía,
a las mil incomodidades de su prisión, al peligro mismo
de una resolución desfavorable a las gestiones que se
hacían para libertarle, a todo.   25

Doña Antonia y Pilar eran su preocupación única, y
no ver a estas dos personas, que para él encerraban el
mundo entero, causaba su impaciencia, una impaciencia
que llegaba a la desesperación.

En cuanto a Manuela . . . se había desvanecido com-   30
pletamente en su memoria. El herrero, como todos los
hombres de gran carácter, era orgulloso, y si en los
últimos días aun había manifestado algún afecto a la
desdeñosa joven, si en su corazón aun no parecía

haberse extinguido el fuego de otros tiempos, había
sido solamente porque doña Antonia animaba constantemente con el soplo de sus esperanzas aquella hoguera,
casi convertida en cenizas.

Pero Nicolás había acabado por comprender desde   5
hacía muchos meses, que era un hombre imposible en
el corazón de Manuela. Más aún; con su perspicacia
natural, con esa facilidad de percepción que tienen los
enamorados humildes, había adivinado, analizando
detalle por detalle, al regresar tristemente de Yautepec 10
todas las noches, sus estériles y cada vez más heladas
entrevistas con la joven, que ésta no sólo sentía desapego
hacia él, sino repugnancia. Ahora bien: a la expresión
de este sentimiento, que aun en un semblante hermoso
es dura y desagradable, no podía resistir una alma altiva 15
como la de Nicolás. Si él hubiera sido uno de esos
muchachos tontos y fatuos que interpretan siempre el
gesto y las palabras de las mujeres que aman, en el
sentido menos desfavorable para ellos; si hubiese sido
uno de esos hombres vengativos y tenaces que hacen   20
del sufrimiento un medio de triunfar y de vengarse,
Nicolás habría permanecido firme en su intento, sostenido por el apoyo de la madre, gran apoyo junto a una
hija, por contraria que ésta se muestre.

Pero Nicolás era un hombre de otra especie. Indio,   25
humilde obrero, él tenía, sin embargo, la conciencia de
su dignidad y de su fuerza. El sabía bien que valía,
como hombre y como pretendiente, lo bastante para ser
amado de Manuela. Su honradez inmaculada le daba
un título; su posición, aunque mediana, pero indepen-   30
diente y obtenida merced a su trabajo personal, lo ennoblecía a sus ojos; su amor sincero, puro, que aspiraba
a la dignidad conyugal, le hacían valorizarlo y esti-
marlo, como un tesoro que debía guardarse intacto.

En suma, él amaba tiernamente, con sumisión, pero con decoro, y comprometer este decoro en algún acto de humillación le habría parecido degradar su carácter y arrastrar por el suelo aquel sentimiento que llevaba tan alto.

Así, pues, tan luego como Manuela, enamorada como estaba de otro hombre, creyó conveniente quitarse el velo del disimulo y comenzó a mostrar a Nicolás un desabrimiento que éste conoció al instante, que fué aumentándose de día en día, y que acabó por convertirse en un marcado gesto de repugnancia, Nicolás comenzó por sentirse lastimado profundamente en su orgullo de hombre y de amante, y acabó por experimentar la insoportable amargura de la humillación. Su amor, ya bastante desarraigado por los desaires anteriores, no pudo resistir a la última prueba, y fué desvaneciéndose a gran priesa en su corazón. El afecto de doña Antonia, una vislumbre de esperanza y cierto hábito contraído de ver a la joven todos los días, aun lo retenía débilmente, como lo hemos visto; pero al saber que aquella mujer a quien había creído insensible para él, pero honrada, había huído con el odioso bandido cuyo nombre era el espanto de aquella comarca, una sorpresa dolorosa primero y un sentimiento de desprecio después, se apoderaron de su alma.

Después, este desprecio fué tornándose, al considerar la perversión de carácter de Manuela, en un sentimiento de otro género. Hoy que se veía libre de esta situación dolorosa, se avergonzaba de su ceguedad de los primeros días, y se felicitaba de que el cielo o su buena suerte le hubiese salvado del peligro de haberse enlazado con aquella criatura, o al menos de la desgracia de seguir amándola, lo que habría sido terrible para él, dado su carácter altivo e intensamente apasionado.

Lejos de eso y como una compensación gratísima, precisamente en los momentos en que su espíritu había quedado enteramente despejado de las últimas nieblas que aquel afecto hubiera podido dejarle, había visto surgir ante sus ojos una nueva imagen, más bella y 5 dulce que la que había desaparecido, y había sentido, había comprendido que ésa sí era el ángel bueno de su existencia.

Y él, ¡cómo habría hecho sufrir a la bella y modesta joven con su aparente galantería para Manuela! ¡Quizás 10 la habría lastimado alguna vez, quizás habría sido cruel, sin quererlo, hiriendo la delicadeza de aquel corazón tierno y blando como una sensitiva!

Tal idea lo hacía aparecer a sus propios ojos como inferior a su amada de hoy, pero no con esa inferioridad 15 que humilla, sino con la inferioridad del creyente para con su Dios, sentimiento que aviva y aumenta el amor, porque lo complica con la admiración y la gratitud.

Tales reflexiones ocuparon el ánimo de Nicolás durante el camino de Cuautla a Yautepec, que recorrió 20 impaciente y a todo el galope de su caballo, atravesando el bosque y las haciendas de Cocoyoc, de Calderón y de San Carlos, que bordan aquella llanura pintoresca. Por fin pasó el río, atravesó las callejuelas, palpitándole el corazón, y se apeó en la puerta de la casa de doña 25 Antonia. ¿Qué noticias iba a recibir?

XVI. *Amor Puro*

OBSCURECÍA YA cuando Nicolás penetró en las piezas de la casa de doña Antonia. Al ruido de sus pasos, una mujer se adelantó a su encuentro, y apenas le reconoció, a la débil luz crepuscular que aun permitía 30

distinguir los objetos, cuando se echó en sus brazos
sollozando.

Era Pilar.

Nicolás, al sentir contra su seno aquella mujer, hoy
intensamente amada, sintió como un vértigo de pasión   5
y de placer. Era la primera vez de su vida que conocía
tamaña felicidad.

Y ella estaba allí, la bellísima joven, que había ocupado su pensamiento en aquellos días de prisión y en
aquellas noches de insomnio; y sentía sus hermosos   10
brazos enlazar su cuello, y palpitar su corazón enamorado junto a aquel corazón que ya no latía sino para
ella, y sentía sus lágrimas humedecer sus manos.
Nicolás no podía hablar. Era presa de una emoción
avasalladora y que paralizaba sus facultades.   15

Por fin, después de haber estrechado a la joven con
un arrebato amoroso más significativo que diez decla-
raciones, le dijo, besándola en la frente:

—Pilar mía; ahora sí, ya nadie ni nada nos separará.
Lo que siento es no haber conocido antes dónde estaba   20
mi dicha; pero, en fin, bendigo hasta los peligros que
acabo de pasar, puesto que por ellos he podido encontrarla.

Pilar, como toda mujer, y aunque rebosando amor y
felicidad, no pudo substraerse a un vago sentimiento de   25
temor y de recelo. No estaba todavía bastante segura
de que en el corazón de Nicolás hubiese desaparecido
completamente aquel antiguo amor de Manuela, quizás
exacerbado aún por todo lo que acababa de pasar. Así
es que, fijando los ojos con timidez en los del herrero,   30
se atrevió a preguntarle, con un acento en que se
traslucía el miedo de perder aquella dicha suprema:

—¿Pero es cierto, Nicolás? ¿me quiere usted como
a Manuela?

—¿Como a Manuela? —interrumpió Nicolás, con
vehemencia. —¡Oh, Pilar! no me haga usted esa pregunta, que me lastima. ¿Cómo puede usted comparar
el amor que hoy le manifiesto, y que siento, con el
afecto que tuve a aquella desgraciada? Aquel fué un   5
sentimiento del que hoy tengo vergüenza. Si no hubiera sido porque la señora se había empeñado en con-
vencerla de que debía casarse conmigo, y me había
hecho entender que al fin lo lograría, que no perdiera
yo la esperanza y que contara con su apoyo, francamente   10
quizás habría yo acabado por aborrecer a Manuela, o
al menos por olvidarla, y habría dejado de venir a esta
casa.

—Pero, ¿y mi madrina? . . . ¿y yo? . . . ¿No pensaba
usted en nosotras? —preguntóle Pilar, en tono de queja.   15

—¡Ah, sí! replicó Nicolás, —la señora era digna de
todo mi cariño . . . En cuanto a usted, Pilar, ¿debo
decirlo? ni me atreví a soñar siquiera en ser amado por
usted; ya había comprendido cuán dichoso sería el
hombre amado por usted; ya había levantado hasta usted   20
los ojos llenos de esperanza, pero los había vuelto a
bajar con tristeza, pensando en que usted tampoco
había de quererme. Me parecía usted más alta que
Manuela para mí. Y luego, pensar en usted, decirle a
usted algo, después de los desaires de Manuela, sufridos   25
en presencia de usted, me parecía indigno. ¡Si hubiera
yo adivinado! . . . Conque ya ve usted que no ahora,
mucho antes, aquel afecto para Manuela había acabado.
¿Duda usted todavía? ¿Cree usted que el amor que le
tengo, y que ha crecido por años en tan pocos días, se   30
parezca al sentimiento que abrigué por esa infeliz, y
que se ha convertido ahora en un desprecio espantoso? . . .

—Ya no dudo, Nicolás, ya no dudo, —dijo la joven,

estrechando las manos del herrero entre las suyas. —Y aunque dudara, —añadió suspirando, —mi felicidad consiste en este amor que siento por usted hace mucho tiempo, que he guardado en el fondo de mi corazón, sin esperanza entonces, aumentado cada día por el dolor y los celos, y que sólo ha podido revelarse en el momento en que corría usted peligro y que yo estaba próxima a perder el juicio. Yo no podía esperar que usted me amase. Al contrario, estaba segura de que usted amaba a Manuela más que nunca, quizás porque la había perdido para siempre; pero no fuí dueña de mí, no pude contenerme, no di oídos más que a mi corazón.

—Pero, niña, —dijo Nicolás, en tono de reconvención, —usted me juzgó mal, quizás porque no conocía bien mi carácter. Para amar todavía a Manuela, a pesar de lo que había hecho, se necesitaba en primer lugar haberla amado de veras, y acabo de decir a usted que no era así, y después se necesitaba ser un hombre vulgar, y yo, aunque humilde, aunque obrero rudo, aunque indio sin educación, y sin otros ejemplos, puedo asegurar a usted que no soy vulgar, que me siento incapaz de estimar un objeto indigno, y que para mí la estimación es precisamente la base del amor. ¿Yo había de seguir queriendo a una perdida que se dejaba robar por un asesino y un ladrón? ¡Imposible! ¡Imposible! La altivez en nosotros es parte de nuestro ser. Así, pues, figúrese usted si pudiera haber sentido por Manuela, después de lo que ha hecho, otro sentimiento que el de una compasión despreciativa. Hacer otra cosa hubiera sido una degradación . . . ¿Está usted convencida?

—Sí, Nicolás, —dijo apresuradamente la joven, —perdóneme usted; pero a pesar de que conocía su carácter, mi cariño, mi pobre cariño, nacido en medio de los celos, me hacía ciega y desconfiada . . . ¡No me guarde usted rencor! . . .

—No, lo que guardo a usted, buena y hermosa niña, es un amor santo y eterno . . . ¿quiere usted ser mi esposa, luego? . . .

—¡Oh! —dijo llorando Pilar, —será mi felicidad; pero hemos hablado largamente, nos hemos extraviado, hemos olvidado el mundo, Nicolás, y estamos hablando cerca de una moribunda . . . mi madrina . . .

—¡Oh sí, la señora! . . .

—Mi madrina se muere, —exclamó Pilar con abatimiento; —hace dos días que no toma alimento ninguno, su debilidad es muy grande, la fiebre violenta, y todos dicen que no tiene remedio.

Nicolás, al saber esta noticia, inclinó la cabeza lleno de pesadumbre.

XVII. *La Agonía*

EN EFECTO, los dos jóvenes, en su éxtasis amoroso, habían olvidado un momento a la pobre doña Antonia, que yacía moribunda en la pieza cercana. Hemos dicho que desde el día siguiente a la fuga de su hija, conmovida por la terrible crisis que había sufrido, más que a causa de la humedad a que había estado expuesta durante muchas horas, la desdichada anciana había caído en cama, atacada de una fiebre cerebral.

Inútiles habían sido los cuidados que se le habían prodigado por las personas caritativas y amigas que la asistían, particularmente por Pilar, que como una hija

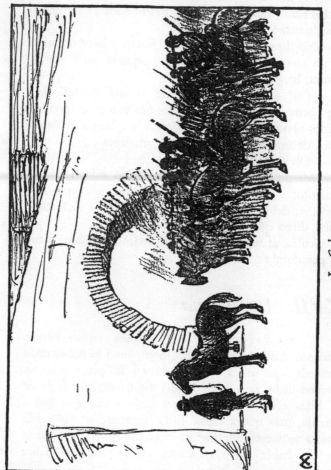

La Calavera.

amorosa, no se había separado un instante de su lado. La experiencia de aquellas buenas gentes, a falta de médico, y todos sus esfuerzos, se habían estrellado contra la gravedad del mal. La señora se moría, y Nicolás llegaba precisamente en los momentos en que la agonía tocaba a su término. Nicolás, profundamente consternado, penetró en la estancia de la enferma, débilmente alumbrada, y en la que fué saludado afectuosamente por las pocas personas que allí había.

Pilar, que le había precedido, se acercó al lecho de su madrina, y llamándola varias veces, le dijo que Nicolás estaba cerca de ella y que deseaba hablarle. La anciana, como si despertara de un profundo letargo, procurando reunir las pocas fuerzas que le quedaban, levantó la cabeza, se fijó en el herrero, que le alargaba las manos cariñosamente, y entonces, reconociéndole, lanzó un débil grito, tomó aquellas manos entre las suyas, las besó repetidas veces, murmurando: "¡Nicolás! ¡Nicolás! ¡hijo mío!" y luego cayó desplomada, como si aquel esfuerzo supremo hubiera agotado su existencia. Nicolás se inclinó al borde de aquel lecho de muerte, y allí ese hombre de hierro, a quien no habían logrado abatir ni las desgracias ni los peligros, se puso a llorar amargamente.

Doña Antonia aun vivió algunas horas; pero la agonía había sido demasiado prolongada, la vida se había extinguido bajo el peso de tantos sufrimientos y, antes de concluir la noche, aquella anciana virtuosa e infortunada exhaló el último suspiro en los brazos de su ahijada Pilar y junto al hombre a quien había amado como a un hijo.

La muerte de su madrina, por esperada que hubiese sido, le produjo a Pilar un abatimiento indecible, y si,

afortunadamente para ella, el amor de Nicolás, confe-
sado ya de una manera tan firme y tan resuelta, no
hubiera venido a consolarla y fortalecerla, como un rayo
de sol, seguramente el alma de la buena y sensible joven
habría visto el mundo como una noche sombría y pavo-   5
rosa.   Pero Nicolás estaba allí, su amado, su esposo
futuro.   El cielo se lo enviaba justamente en los ins-
tantes de mayor amargura para ella, huérfana infeliz,
sin patrimonio, sin más apoyo que dos tíos ancianos, y
en medio de aquella situación llena de peligros para   10
todos.   Entonces consideró al joven, no sólo como al
elegido de su corazón, sino como a su salvador, a su
Providencia, y fuertemente conmovida por aquel cambio
súbito de su suerte, por aquel socorro inesperado que
parecía enviarle Dios, como para recompensarla de sus   15
aflicciones y tristezas, la joven, dando tregua a sus
sollozos, cayó de rodillas y oró fervorosamente, con un
sentimiento en que se mezclaban el dolor y la gratitud
al mismo tiempo.

Sacóla de su arrobamiento la voz de Nicolás, que le   20
dijo con ternura y con gravedad religiosa:

—Pilar, yo le juro a usted que seré su esposo, y que
no esperaré para realizar mi promesa más que el tiempo
de luto.   Es usted un ángel que yo no merezco.

Pilar se echó en sus brazos llorando; los circunstantes,   25
conmovidos ante aquella escena, procuraron también
consolar a la joven, y Nicolás salió inmediatamente
para preparar los funerales de doña Antonia.   Como la
anciana poseía algunos intereses, era preciso asegurar-
los, puesto que no había dejado testamento, y que la   30
hija única que tenía había abandonado la casa materna.

Desde luego las autoridades locales quisieron disponer que se vendiesen la casa y la huerta, para atender
a los gastos precisos; pero Nicolás se opuso a ello,

ofreciendo hacer los gastos por su cuenta, como un homenaje a la memoria de su querida amiga. Rehusó también encargarse del cuidado y administración de aquellos pocos bienes, que las autoridades le confiaban, alegando razones de delicadeza bien comprensibles en su situación; de modo que aquel modesto patrimonio fué ocupado legalmente, pero sin la intervención del honrado herrero.

Sepultada la señora, a cuyo entierro concurrieron todas las personas que habían estimado sus virtudes, todo volvió a la vida normal, es decir, a aquella vida llena de zozobras y de peligros que hemos descrito. Nicolás se fué a su herrería de Atlihuayán, más querido aún por sus patrones, a causa de su noble conducta; Pilar volvió a la humildísima casa de sus tíos, que se convirtió para ella en un edén, porque su esposo futuro, esperando la fecha señalada, la visitaba todas las tardes, como lo hacía en otro tiempo en casa de Manuela.

¿Y ésta? Veamos lo que le pasaba.

XVIII. *Entre Los Bandidos*

MANUELA, APASIONADA del Zarco y por lo mismo ciega, no había previsto enteramente la situación que la esperaba, y si la había previsto, no se había formado de ella sino una idea convencional.

Su fantasía de mujer enamorada e inexperta le representaba la existencia en que iba a entrar como una existencia de aventuras, peligrosas, es verdad, pero divertidas, romancescas, originales, fuertemente atractivas para un carácter como el suyo, irregular, violento y ambicioso.

Manuela no había visto nunca levantarse un patíbulo para uno de esos compañeros de su amante. Al con-

trario, había visto a muchísimos pasearse impunemente
por las poblaciones y los campos, en son de triunfo,
temidos, respetados y agasajados por los ricos, por las
autoridades y por toda la gente.

Si alguna persecución se les hacía, de cuando en 5
cuando, como aquélla que había fingido el feroz comandante, conocido nuestro, era más bien por fórmula,
por cubrir las apariencias; pero en el fondo, las autoridades eran impotentes para combatir a tales adversarios,
y todo el mundo parecía resignado a soportar tan 10
degradante yugo.

Manuela, pues, se figuraba que esa situación, por
pasajera que fuese, aun debía durar mucho, y que el
dominio de los plateados iba consolidándose en aquella
comarca. Además, era ella muy joven para recordar 15
las tremendas persecuciones y matanzas llevadas a cabo
contra los bandidos de otras épocas por fuerzas organi-
zadas por el gobierno del Estado de México y puestas a
las órdenes de jefes enérgicos y terribles.

Por lo demás, el estado que guardaban las cosas en 20
la tierra caliente era demasiado claro para que Manuela
pudiera abrigar grandes temores por la vida del Zarco.

Lo cierto era que los plateados dominaban en aquel
rumbo, que el gobierno federal no podía hacerles nada,
que el gobierno del Estado de México, entonces des- 25
organizado, y en el que los gobernadores, militares o
no, se sucedían con frecuencia, tampoco podía establecer
nada durable; que los hacendados ricos tenían que huir
a México y cerrar sus haciendas o someterse a la dura
condición de rendir tributo a los principales cabecillas, 30
so pena de ver incendiados sus campos, destruídas sus
fábricas y muertos sus ganados y sus dependientes.

De modo que, por una parte, con el impulso irresis-

tible de su pasión, y por otra, convencida por todas las
razones que le daban su amante y el temor de las gentes
que la habían rodeado, acabó por confiarse resueltamente a su destino, segura de que iba a ser tan feliz
como en sus sueños malsanos lo había concebido. 5

Pero, en resumen, Manuela, que no había hecho más
que pensar en los plateados desde que amaba al Zarco,
no conocía realmente la vida que llevaban esos bandidos, ni aun conocía personalmente de ellos más que a
su amante. Los había visto varias veces en Cuernavaca 10
desfilar ante sus ventanas, formando escuadrones; pero
la rapidez de ese desfile y la circunstancia de no haberse
fijado con atención más que en el Zarco, que fué quien
la cautivó desde entonces por su gallardía y su lujo,
impidieron que pudiese distinguir a ningún otro de 15
aquellos hombres.

Después, retraída en Yautepec, y encerrada, justamente por el miedo que tenía doña Antonia de que
fuese vista por semejantes facinerosos, Manuela no
había vuelto a ver a ninguno de ellos, pues cuando 20
habían llegado a entrar de día a la población, había
tenido que esconderse, ya en el curato, ya en lo más
oculto de las huertas, en donde la gente se preparaba
escondrijos, en los que permanecía días enteros hasta
que pasaba el peligro. 25

Así, pues, no conocía a los bandidos más que de
oídas, ya por los relatos seductores que le hacía el
Zarco, entremezclados, sin embargo, de alusiones a
peligros pasajeros, que, lejos de asustarla, le causaban
emociones punzantes, o ya por las terríficas narraciones 30
de la gente pacífica de Yautepec, abultadas todavía
más por doña Antonia, cuya imaginación había acabado
por enfermar.

De estas noticias tan contradictorias, Manuela, con
una parcialidad muy natural en quien amaba a un
bandido, habíase formado una idea siempre favorable
para éste y ventajosa para ella. De manera que, a sus
ojos, los plateados eran una especie de facciosos en   5
guerra con la sociedad, pero por eso mismo interesantes;
feroces, pero valientes; desordenados en sus costumbres,
pero era natural, puesto que vivían en medio de peligros
y necesitaban de violentos desahogos como compensación de sus tremendas aventuras.   10

Razonando así, Manuela acababa por figurarse a los
bandidos como una casta de guerreros audaces y por
dar al Zarco las proporciones de un héroe legendario.

Aquella misma guarida de Xochimancas y aquellas
alturas rocallosas de las montañas, en que solían estable- 15
cer los plateados el centro de sus operaciones, aparecían
en la imaginación de la extraviada joven como esas
fortalezas maravillosas de los antiguos cuentos, o por
lo menos como los campamentos pintorescos de los
ejércitos liberales o conservadores que se habían visto   20
aparecer, no hacía mucho, en casi todos los puntos del
país.

Todo esto había pensado Manuela en sus horas de
amor y de reflexión y ya resuelta a compartir la suerte
del Zarco.   25

XIX. Xochimancas

CUANDO OBLIGADOS por la tempestad, tanto
ella como el Zarco y sus compañeros, se refugiaron en
la cabaña del guarda-campo de Atlihuayán, todos per-
manecieron en silencio y no echaron abajo sus embozos,

de modo que así, en la obscuridad y sin hablar, Manuela no pudo ni distinguir las fisonomías de los bandidos ni conocer el metal de su voz. Algunas palabras en voz baja, cruzadas con el Zarco, fueron las únicas que interrumpieron aquel silencio que exigía el lugar.

Pero, cuando a las primeras luces del alba, y calmada ya la lluvia, el Zarco dió orden de montar, Manuela pudo examinar a los compañeros de su amante: siempre embozados en sus jorongos, siempre cubiertos hasta los ojos con sus bufandas, no dejaban ver el rostro; pero su mirada torva y feroz produjo un estremecimiento involuntario en la joven, habituada en las descripciones que se le hacían de estas figuras de facinerosos. Entonces fué cuando Manuela, en un pedazo de papel que le dió el Zarco, escribió con lápiz aquella carta dirigida a doña Antonia en la que le daba parte de su fuga.

Después, echáronse a andar los prófugos con dirección a Xochimancas, encumbrando rápidamente la montaña en que vimos aparecer al Zarco la primera vez.

La comitiva continuó callada. De vez en cuando, Manuela, que iba delante con el Zarco, escuchaba ciertas risas ahogadas de los bandidos, a las que contestaba el Zarco volviéndose y guiñando el ojo, de un modo malicioso que disgustó a la joven.

Después la cabalgata comenzó a entrar en un laberinto de veredas, unas serpenteando a través de pequeños valles encajados entre altas rocas, y otras pasando por gargantas escabrosas y abruptas, apenas frecuentadas por bandidos y leñadores.

Por fin, poco antes de mediodía se divisaron por entre una abra, formada por dos colinas montuosas, las ruinas de Xochimancas, madriguera entonces de los plateados.

De una altura que dominaba aquella hacienda arruinada se oyó salir un agudo silbido, al que respondió otro lanzado por el Zarco, e inmediatamente un grupo 5 de jinetes se desprendió de entre las ruinas y a todo galope se acercó a reconocer la cabalgata del Zarco, llevando cada uno de aquellos jinetes su mosquete preparado.

El Zarco se adelantó y, rayando el caballo, habló con 10 los del grupo, que se volvieron a toda brida a Xochimancas a dar parte.

Pocos momentos después, el Zarco dijo a Manuela, con tono amoroso:

—Ya estamos en Xochimancas, mi vida, ahí están 15 todos los muchachos.

En efecto, por entre las viejas y derruídas paredes de las casuchas del antiguo real, así como en los portales derrumbados y negruzcos de la casa de la hacienda, Manuela vió asomarse numerosas cabezas patibularias, 20 todas cubiertas con sombreros plateados, pero no pocas con sombreros viejos de palma; aquellos hombres, por precaución, tenían todos en la mano un mosquete o una pistola.

Algunas voces, al atravesar la comitiva, gritaban 25 continuamente:

—¡Miren al Zarco! . . . ¡qué buena muchacha se trae!

—¿Dónde te has encontrado esa buena presa, Zarco? —preguntaban otros riendo. 30

El Zarco, enfadado al fin, se volvió, y dijo con ceño:

—¡Se quieren callar, grandísimos! . . .

Un coro de carcajadas le contestó; la comitiva apretó

el paso con dirección a una capilla arruinada, que era
el alojamiento del Zarco, y éste dijo a Manuela, inclinándose a ella y abrazándola por el talle:

—No les hagas caso, son muy chanceros. ¡Ya los
verás qué buenos son!

Pero Manuela se sentía profundamente contrariada.
Vanidosa, como era, y aunque sabiendo que se entregaba a un forajido, ella esperaba que este forajido, que
ocupaba un puesto entre los suyos semejante al que
ocupa un general entre sus tropas, tuviese sus altos
fueros y consideraciones. Creía que los capitanes de
bandoleros eran alguna cosa tan temible que hacían
temblar a los suyos con sólo una mirada, o bien que
eran tan amados, que no veían en torno suyo más que
frentes respetuosas y no escuchaban más que aclama-
ciones de entusiasmo. Y aquella recepción en el cuartel
general de los plateados la habían dejado helada. Más
aún se había sentido herida en su orgullo de mujer, al
oír aquellas exclamaciones burlonas, aquellas chanzonetas malignas con que la habían saludado al llegar, a
ella, que por lo menos esperaba ser respetada yendo al
lado de uno de los jefes de aquellos hombres.

Sintió, pues, que el semblante se le encendía de
cólera; pero cuando el Zarco se volvió hacia ella,
risueño, para decirle: "¡No les hagas caso!", su amante
le pareció, no solamente tan cínico como sus compañeros, sino cobarde y despreciable. Díjose a sí misma,
y por una comparación muy natural en aquel momento,
que Nicolás, el altivo herrero indio, cuyo amor había
desdeñado, no habría permitido jamás que la amada de
su corazón fuese ultrajada de esa manera. Por rápido
que hubiera sido ese juicio, le fué totalmente desfavorable al Zarco, quien, si hubiese podido contemplar

el fondo del pensamiento de Manuela, se habría estremecido viendo nacer en aquella alma, que rebosaba amor hacia él como una flor pomposa, el gusano del desprecio.

La intensa palidez que sucedió al rojo de la indignación en el semblante de la joven, debió ser notable, porque el Zarco la advirtió, e inclinándose de nuevo hacia ella, le dijo con tono meloso: 5

—¡No te enojes, mi alma, por lo que dicen esos muchachos! Ya te he dicho que tienen modos muy 10 diferentes de los tuyos. ¡Es claro, pues si no somos frailes ni catrines! Nosotros tenemos nuestros dichos aparte, pero es necesario que te vayas acostumbrando, porque vas a vivir con nosotros, y ya verás que todos esos chanceros son buenos sujetos y que te van a querer 15 mucho. ¡Te lo dije, Manuelita, te dije que no extrañaras, y tú me has prometido hacerte a nuestra vida!

Ese "te lo dije" del Zarco resonó como un latigazo en los oídos de la atolondrada joven. En efecto, comenzaba a sentir la indiscreción de su promesa y los 20 extravíos y ceguedades de la pasión. Inclinó la cabeza y no contestó al Zarco sino con un gesto indescriptible, en que se mezclaban la repugnancia y el arrepentimiento.

Entretanto, había llegado ya a la capilla arruinada 25 que servía de alojamiento al Zarco, pues las habitaciones de la antigua casa de la hacienda estaban reservadas a otros jefes de aquellos bandoleros.

Aquel lugar antes sagrado se hallaba convertido ahora en una guarida de chacales. En la puerta, y a la 30 sombra de algunos arbolillos que habían arraigado en las paredes llenas de grietas o entre las baldosas desunidas y cubiertas de zacate, estaban dos grupos de

bandidos jugando a la baraja en torno de un zarape
tendido, que servía de tapete y contenía las apuestas,
los naipes y algunas botellas de aguardiente de caña y
vasos. Algunos de los jugadores se hallaban sentados
en cuclillas, otros con las piernas cruzadas, otros estaban   5
tendidos boca abajo, unos tarareaban con voz aguda y
nasal canciones tabernarias, todos tenían los sombreros
puestos y todos estaban armados hasta los dientes. No
lejos de ellos se hallaban sus caballos, atados a otros
árboles, desembridados, con los cinchos de las sillas   10
flojos y comiendo algunos manojos de zacate de maíz, y
por último, trepado en una pared alta, vigilaba otro
bandido, pronto a dar la señal de alarma en caso de
novedad.

Así, pues, los malvados, aun seguros como se sentían   15
en semejante época, no descuidaban ninguna de las
precauciones para evitar ser sorprendidos, y sólo así se
entregaban con tranquilidad a sus vicios o a la satisfacción de sus necesidades.

Manuela abarcó de una sola mirada semejante es-   20
pectáculo, y al contemplar aquellas fisonomías de
patíbulo, aquellos trajes cuajados de plata, aquellas
armas y aquellas precauciones, no pudo menos de
estremecerse.

—¿Quiénes son éstos? —preguntó curiosa al Zarco.   25

—¡Ah! —contestó éste, —son mis mejores amigos,
mis compañeros, los jefes . . . Félix Palo-Seco, Juan
Linares, el Lobo, el Coyote, y ese güerito que se levanta
es el principal . . . es Salomé

—¿Salomé Plasencia?   30

—El mismo.

En efecto, era Salomé, el capataz más famoso de
aquellos malvados, una especie de Fra Diávolo de la

tierra caliente, el flacucho y audaz bandolero que había
logrado, merced a la situación que hemos descrito,
establecer una especie de señorío feudal en toda la
comarca y hacer inclinar, ante su miserable persona,
las frentes más soberbias de los ricos propietarios del   5
rumbo.

Salomé se adelantó a recibir al Zarco y a su comitiva.

—¿Qué hay, Zarco? —le dijo con su voz aflautada
y alargándole la mano. —¡Caramba! —añadió mi-   10
rando a Manuela, —¡qué bonita muchacha te has
sacado! —y luego tocándose el sombrero y saludando a
Manuela, le dijo: —¡Buenos días, güerita!

Los otros bandidos se habían levantado también y
rodeaban a los recién llegados, saludándolos y diri-   15
giendo requiebros a la joven. El Zarco se apeó, riendo
a carcajadas, y fué a bajar a Manuela, que se hallaba
aturdida y no acertaba a sonreír ni a responder a tales
hombres. No estaba acostumbrada a semejante compañía, y le era imposible imitar sus modales y su   20
fraseología cínica y brutal.

—¡Vamos, aquí hay refresco! —dijo uno de los del
grupo, trayendo un vaso de aguardiente.

—No, —dijo el Zarco, apartando el vaso, —esta
niña no toma, no está acostumbrada; lo que queremos   25
es almorzar, porque hemos andado casi toda la noche y
toda la mañana, y no hemos probado bocado.

—A ver, mujeres, —gritó a las gentes que había
dentro de la capilla, de la cual se exhalaba juntamente
con el humo de la leña cierto olor de guisados campe-   30
sinos, —hágannos de almorzar, y tomen esto, —añadió
alargando la maleta que contenía la ropilla de Manuela;
ésta sólo conservó su saco de cuero, en que guardaba

las alhajas, que nunca le parecieron más en peligro que en ese lugar.

Por acá, y cerca de la puerta, se veía la cocina de humo, es decir, el fogón de leña en que se cocían las tortillas, y junto al cual estaba la molendera con su metate y demás accesorios. Un poco más lejos había otro fogón, en el que se preparaban los guisados en ollas o en cazuelas negras. Del otro lado había sillas de montar puestas en palos atravesados, mecates en que se colgaba la ropa, es decir, calzoneras, chaquetas, zarapes, túnicos viejos de percal y de lana; en un rincón se revolcaba un enfermo de fiebre, con la cabeza envuelta en un pañolón desgarrado y sucio; más allá un grupo de mujeres desgreñadas remendaban ropa blanca o hacían vendas, y al último, en el fondo de la capilla, junto al altar mayor, convertido en escombros, y dividida de la nave por una cortina hecha de sábanas y de petates, se hallaba la alcoba del Zarco, que contenía un catre de campaña, colchones tirados en el suelo, algunos bancos de madera y algunos baúles forrados de cuero. Tal era el mueblaje que iba a ofrecer aquel galán a la joven dama a quien acababa de arrebatar de su hogar tranquilo.

—Manuelita, —le dijo, conduciéndola a aquel rincón, —esto, como ves, está muy feo, pero por ahora hay que conformarse, ya tendrás otra cosa mejor. Ahora voy a traerte de almorzar.

La joven se sentó en uno de los bancos, y allí cubierta con la cortina, sintiéndose a solas, dejó caer la cabeza entre las manos, desfallecida, abismada; y oyendo las risotadas de los bandidos ebrios, sus blasfemias, las voces agudas de las mujeres; aspirando aquella atmósfera pesada, pestilente como la de una cárcel, no pudo

menos que mesarse los cabellos desesperada, y derramando dos lágrimas que abrasaron sus mejillas como
dos gotas de fuego, murmuró con voz enronquecida:
—¡Dios mío! . . . ¡lo que he ido a hacer!

XX. El Primer Día

MANUELA PASÓ los cinco primeros días de su 5
permanencia en Xochimancas, siendo presa de cien
emociones diversas, terribles y capaces de quebrantar
una organización más fuerte que la suya.

El primer día fué horrible para ella. La sorpresa que
le causó el espectáculo de aquel campamento de malhe- 10
chores; la extrañeza que naturalmente le produjeron
aquellos hábitos repugnantes, que no tenían ni siquiera
la novedad de la vida salvaje; la ausencia de los seres
que había amado, de su madre, de Pilar, de algunas
personas amigas, hasta la falta de esas sensaciones a 15
que se está habituado y que en la vida normal pasan
inadvertidas, pero que cuando desaparecen producen un
vacío inmenso; las faenas del día, los toques de las
campanas, el ruido de los animales domésticos, el rumor
lejano de las gentes del pueblo, el rezo a ciertas horas, 20
todo, todo aquel sistema de vida sencillo, común, poco
variable en una población pequeña, pero que podría
decirse que amolda el carácter y forma la disciplina de
la existencia, todo aquello había desaparecido en pocas
horas. 25

Por resuelta que hubiese estado Manuela a sufrir este
cambio, por anticipada que hubiera sido la imaginación
de esta vida nueva, en el ánimo de la inexperta joven,
era imposible que la realidad hubiese dejado de causarle

hondísima impresión. Ella, enamorada como estaba del joven bandido, había poetizado aquella vida, aquellos compañeros, aquellos horrores.

Pero Manuela, al pensar así, estaba muy lejos de la realidad, y su sueño iba a desvanecerse en el momento en que la palpase de cerca.

En primer lugar, nunca pudo figurarse que el nido, a que iba a conducirla aquel milano de las montañas, fuese esa galería infecta de presidiarios o de mendigos. Ella suponía que el Zarco iba a llevarla a alguna cabañita salvaje, escondida entre los bosques, o a alguna gruta abierta entre las rocas que solía divisar a lo lejos, entre los picos dentellados de la sierra. Ese escondite era digno de la querida de un bandido, de un enemigo de la sociedad.

Cuando el peligro fuese terrible, cuando hubiera necesidad de huir por la aproximación de las tropas del gobierno, allí vendría el Zarco a buscarla para ponerla a la grupa de su caballo, y escapar, o la ordenaría ocultarse en lo más escondido del bosque o de las barrancas, mientras que podía volver a buscarla. Allí tendría también un lugarcito, sólo de ella conocido, para guardar sus valiosas alhajas. Tal era el concepto que se había formado del lugar en que iba a tener que vivir con su amante, mientras que podían alejarse de aquel rumbo e ir a casarse donde no les conocieran.

Todas estas consideraciones habían hecho sombrío para Manuela aquel primer día, que ella había soñado como un día luminoso, alegre. Con semejante impresión, aun las caricias del Zarco, que naturalmente redoblaron en esas horas, en que se encontraban, por fin, unidos, fueron ineficaces para tranquilizarla y devolverle la ilusión perdida.

La verdad es, y tal fenómeno aparece con frecuencia en el espíritu de la mujer enamorada, que el amante que en las entrevistas nocturnas le aparecía siempre lleno de prestigio, ahora había perdido mucho de él. Ahora le veía de cerca, vulgar, grosero, hasta cobarde, 5 puesto que soportaba riendo las insultantes chanzas de sus compañeros que lastimaban hondamente a la mujer que amaba. No era, pues, entonces el Zarco el hombre terrible que infundía pavor y respeto a sus secuaces.

Decididamente, Manuela sentía que ya no amaba al 10 Zarco, que se había engañado acerca de los sentimientos que la habían obligado a escapar de su casa.

Pero entonces examinándose más profundamente, sondeando el abismo obscuro de su conciencia, acababa por comprender con terror que había otra pasión en 15 ella que la había sostenido en este amor malsano, que la había seducido, tanto como el prestigio personal del Zarco, y esa pasión era la codicia, una codicia desenfrenada, loca, verdaderamente absurda, pero irresistible y que había corrompido su carácter. 20

E irritada por esa consideración, se sublevaba contra ella, negaba, y con una gran apariencia de razón. No podía ser la codicia, no podían ser las valiosísimas alhajas que el Zarco la llevaba casi todas las noches de sus entrevistas, las que hubieran influído sobre ella para 25 querer al bandido; no podían ser tampoco las esperanzas de obtenerlas todavía mejores por los robos sucesivos; porque, en suma, este tesoro y el que reuniera después, es decir, el capital ya poseído y el que se esperaba, podían desaparecer en un momento con la 30 muerte del bandido, con su derrota. Nada había más inseguro que este dinero de ladrones.

Por otra parte, la mujer ama las alhajas por el placer

de ostentarlas en público, y ella no podía lucirlas delante de nadie, al menos por de pronto. No en las poblaciones, porque no podía bajar a ellas, y tampoco delante de aquellos malhechores, porque les darían tentaciones de arrebatárselas. Además, si hubiera sido el deseo del lujo el que la hubiese guiado en su afición al Zarco, él la habría decidido de preferencia en favor de Nicolás, porque el herrero poseía ya una fortuna regular y saneada, y aunque era económico como todo hombre que tiene moralidad y que gana el dinero con un trabajo difícil, es seguro que, enamorado como estaba de ella, le habría dado cuanto quisiese para verla feliz.

Así, pues, no era la codicia la que la había arrojado en los brazos de su amante: era el amor, era la fascinación, era una especie de vértigo, lo que la hizo enloquecerse y abandonar todo, madre, hogar, honor, cuanto hay de respetable y de sagrado, por seguir a aquel hombre sin el cual, todavía hacía dos días, no podía vivir.

¡Y ahora! . . .

¡Pero esto era espantoso! Manuela creía salir de un sueño horrible. Habíanle bastado algunas horas para comprender todo lo execrable de su pasión, y todo lo irremediable de su desventura. Y era que, desvaneciéndose su ilusión malsana, y apagándose por eso la llama que había abrasado su corazón, iba reapareciendo la luz en su conciencia y palpándose la fría realidad con su cortejo de verdades aterradoras.

A tan dolorosa revolución, que se operaba cada vez más intensa, se agregaban, como es de suponer, los punzantes recuerdos de la pobre anciana, de la dulce y tierna madre, tan honrada, tan amorosa, a quien había

engañado vilmente, a quien había abandonado en el
mayor desamparo, a quien había matado, porque era
seguro que al despertar, al buscarla por todas partes en
vano, al saber, por su carta, que había huído, la desesperación de la infeliz señora no había tenido límites ...　5
¡se había enfermado e iba a morir!

No podía pensar en ello Manuela, y así abrumada
por tantas emociones, torturada por tantos remordi-
mientos, se apoderaba de ella el desaliento, el tedio de la
vida, y sentía que su razón iba a perderse.　　　　　10

El castigo de su falta no se había hecho esperar
mucho tiempo.

Entretanto, el Zarco le prodigaba mil cuidados, la
llenaba de atenciones; se esmeraba, acompañado de los
bandidos y de las mujeres, en componer el departa-　　15
mento que le estaba destinado en la capilla, trayendo
esteras nuevas, tendiendo mantas, colgando algunas
estampas de santos, y sobre todo, mostrándole sus
baúles, en los que había algunos costales de pesos,
alguna vajilla de plata, mezclada con arreos de caballos,　20
con cortes de vestidos de seda, ropa blanca de hombre
y de mujer, y mil otros objetos extraños. Hubiérase
dicho que aquellas arcas eran verdaderos nidos de
urraca en los que todo lo robado estaba revuelto confusamente.　　　　　　　　　　　　　　　　25

—Todo esto es tuyo, Manuelita, tuyo nada más; aquí
tienes las llaves y yo te traeré más.

Manuela sonreía tristemente.

El Zarco, al verla así, creía que estaba extrañando
el cambio de vida; pero ni un momento pudo sospechar　30
el cambio que se había efectuado en el ánimo de su
amada, de cuyo amor estaba cada vez más seguro.

Así es que previno a aquellas mujeres que la entretuvieran, que la distrajeran, elogiándole la existencia que se llevaba allí, las diversiones que se improvisaban y, sobre todo, la fortuna del Zarco en sus asaltos y sus presas.

En la tarde el Zarco le trajo a dos bandidos que 5 cantaban acompañándose con una guitarra y les encargó que entonaran sus mejores canciones. Manuela los vió con horror; ellos cantaron una larga serie de canciones, de esas canciones fastidiosas, disparatadas, sin sentido alguno, que canta el populacho en los días 10 de embriaguez.

Manuela se sintió fatigada, y los músicos, conociéndolo, muy contrariados por no haber agradado a la catrina, le dieron las buenas noches y se retiraron.

Llegó la noche, la noche pavorosa y lúgubre de aquel 15 campamento de bandidos. Manuela fué a asomarse a la puerta de la capilla, deseosa de respirar aire puro y de contemplar el aspecto de semejante lugar que comenzaba a parecerle peligrosísimo, a pesar de tener por apoyo al Zarco. 20

La noche era sombría y, como la anterior, amenazaba tempestad. Las luces que brillaban por entre las ventanas y las grietas de las ruinas, le daban un aspecto todavía más espantoso.

Acá y acullá cruzaban patrullas a caballo, que iban 25 de avanzada o que hacían la ronda; reinaba un silencio sepulcral. La noche es para los malhechores favorable, cuando se emboscan o emprenden un asalto; pero está llena de terrores y de peligros también para ellos, si descansan en la guarida. Así es que su sueño nunca es 30 tranquilo y está turbado por cada rumor de la arboleda, por cada galope que se oye a lo lejos, por cada silbido del viento, por todo ruido extraño.

Aun seguros como estaban los plateados en Xochimancas, ya lo hemos dicho, no descuidaban ninguna
precaución. Así es que su campo estaba guardado por
avanzadas, por escuchas, por rondas, y todavía así, los
jefes no dormían sino con un ojo. 5
Entonces tenían un motivo más para estar alerta. El
rapto de Manuela debía haber causado gran alboroto
en Yautepec. El herrero de Atlihuayán, hombre peligroso para los plateados, y que los odiaba de muerte,
pretendiente desdeñado de la joven, debía haber puesto 10
en alarma a los vecinos y a sus amigos de la hacienda.
Era gran conocedor de aquellos terrenos, y muy audaz
y muy valiente. Además ese día había llegado a Yautepec la caballería que había ido a perseguir a los
asaltantes de Alpuyeca, y aunque los plateados sabían a 15
qué atenerse respecto de la bravura de esa tropa, nada
extraño sería que animada por el odio del herrero, y
por la resolución de los vecinos, se hubiera determinado
a atacarlos.
Ya hemos visto que la previsión de los bandidos no 20
carecía de fundamento, y que lo que ellos temían se
intentó por Nicolás, aunque en vano, a causa de la
cobardía del comandante.
Así es que la vigilancia se redobló en Xochimancas.
Salomé, el principal jefe de los plateados, había 25
dicho, al obscurecer, al Zarco:
—Dios quiera, Zarco, que tu hüera no nos vaya a
traer algún perjuicio. Es necesario estar con cuidado;
he avanzado a los muchachos por todos los caminos, y
Félix se ha adelantado hasta cerca de Atlihuayán, por 30
si hay algo. Conque, anda, vete y que duermas bien.
Salomé montó a caballo y seguido de una veintena
de jinetes, se fué a hacer ronda. El Zarco se dirigió a

la capilla, en donde todos dormían ya, menos Manuela,
que lo esperaba sentada en su banco, ceñuda y llorosa.

XXI. La Orgía

PASARON ASÍ algunos días, que parecieron siglos a Manuela, siglos de aburrimiento y de tristeza.
Érale imposible ya habituarse a aquella existencia entre   5
los bandidos, puesto que a medida que el Zarco la
trataba con mayor intimidad, siendo ya su querida,
sentía mayor despego hacia él, despego complicado con
una especie de miedo o de horror al hombre que había
podido arrastrarla hasta aquel abismo.   10
   Por una necesidad de su nueva vida, Manuela había
tenido que entablar relaciones, si no de amistad, al
menos de familiaridad con aquellas mujeres que habita-
ban la capilla con ella.
   Entre ellas hacía distinción de una, no porque fuese   15
más agradable, sino porque conocía muy bien a Yautepec, donde había residido muchos años, y le hablaba
siempre de personas que le eran conocidas, de doña
Antonia, de Pilar, de Nicolás, sobre todo de Nicolás,
a quien conocía mucho.   20
   —¡Ay, Manuelita! — le había dicho esta mujer el
primer día en que trabaron conversación, —yo me
alegro mucho de que esté usted con nosotras, porque es
usted tan bonita y tan graciosa, y porque quiero al
Zarco y mi hombre le quiere también, pero no por eso   25
dejaré de decir a usted que ha hecho una gran tontería
en venirse aquí con él. Si le hubiera puesto a usted
casa en alguno de los pueblos, o haciendas, o ranchos
donde tenemos amigos, habría hecho mejor y estaría

usted más segura y más contenta. Pero aquí, mi alma, va usted a padecer mucho. Para nosotras, que hemos seguido a nuestros hombres en todas las guerras, y que hemos corrido con ellos la ceca y la meca, esta vida ya no es pesada, y al contrario, nos gusta, porque, en fin, estamos acostumbradas, y las aventuras que nos suceden son divertidas algunas veces, fuera de que tenemos también nuestro reparto en ocasiones y nos tocan regulares cosas. Es cierto que pasamos también buenos sustos, y que hay días en que no comemos y noches en que no dormimos, y nuestros hombres nos pegan y nos maltratan, pero, ya digo, estamos acostumbradas y nada nos hace. Pero usted, una niña que ha estado tan recogida siempre, tan metidita en su casa, tan cuidada por su mamá, que tiene usted la carita tan fina y el cuerpecito tan delicado y que no está hecha a pasar trabajos, la verdad, mi alma, me temo mucho que se vaya a enfermar o que le suceda alguna desgracia. Ahora ya lo ve usted, está usted muy triste, se le echa de ver luego en la cara que no está usted contenta, ¿verdad?

Manuela respondió sólo derramando un mar de lágrimas.

—¡Pobrecita! —continuó aquella mujer, —yo la conocí a usted hace dos años, allá en Yautepec, ¡tan hermosa! ¡tan simpática! ¡tan bien vestida! Parecía usted una Virgen María, y que la querían a usted mucho los gachupines de la tienda y todos los muchachos bien parecidos de la población, aunque le hablaré a usted francamente, ninguno de ellos valía nada en comparación de don Nicolás el herrero. Él, el pobrecito es trigueñito, es feo, es desairado, como indio que es, y artesano, pero dicen que es muy trabajador, que tiene

ya su dinero y que le quieren mucho. Aquí no hay
que hablar bien de él, porque le tienen miedo y es el
único a quien no le han podido dar un golpe, porque
es muy valiente y no se deja; y como no tiene tierras, ni
ganado, ni nada que le puedan ocupar, sino que tiene 5
su dinero quién sabe donde, de ahí es que habría necesidad de cogerlo a él para darle tormento y que lo
entregara; pero no se ha podido, porque él es muy
desconfiado, y anda siempre muy bien armado y con
otros compañeros también resueltos. ¡Pero ése sí le 10
habría convenido a usted, niña, y él andaba enamorado
desde hacía tiempo de usted, y todos lo sabían! Eso es
hablarle a usted la verdad, y Dios me libre de que me
oyera el Zarco, pero es la verdad. El Zarco es cierto
que es buen mozo y simpático, y bueno para la pelea y 15
tiene mucha fortuna; pero le diré a usted, tiene su mal
genio, y si la sigue viendo a usted triste se va a enojar,
y puede que . . .

　　—¡Qué! —interrumpió Manuela con vivacidad,
—¿que me pegue? 20

　　—¡Pues . . . vea usted, Manuelita, no sería difícil!
Él la quiere a usted mucho, pero ya le digo a usted,
tiene muy mal genio . . .

　　—¡Pues eso sólo me faltaba! —replicó Manuela. Y
luego añadió con amargura, —No, no lo hará, y ¿por 25
qué lo había de hacer? ¿qué motivo le doy?

　　—Ya se ve que ninguno, y al contrario, está muy
enamorado de usted; pero por eso mismo, él es muy
perro, y si la ve a usted triste y triste, va a creer tal
vez que usted no le quiere, que está usted arrepentida 30
de haberle seguido . . . Yo le aconsejo a usted que se
muestre más alegre, que se haga la disimulada, que le
dé a conocer al Zarco que está usted contenta, que se

lleve con nosotras, que aguante las chanzas de los
muchachos que también han advertido ya que no los
quiere usted; en fin, que se vaya usted haciendo a
nuestra vida, porque al cabo, ya ahora, mi alma, es
usted del Zarco, y a no ser una desgracia, tiene usted   5
que andar con él siempre si no es que logra usted con
modito que la lleve a otra parte; pero entonces puede
que sea peor, porque tendrá usted que lidiar con las
gentes, que sospecharán de usted, y además con los
celos del Zarco, que estando ausente de usted ha de   10
andar siempre desconfiado, y con el menor chisme que
le cuenten, habrá pleitos y muertes, y se arrepentirá de
haberse separado de él.   Conque es mejor que haga
usted lo que le digo, mucho disimulo y granjearse el
cariño de todos.   15

Manuela comprendió fácilmente que aquella mujer
tenía razón, y que, aunque amarga y desagradable, le
había pintado la existencia que tenía que llevar con la
verdad propia de la experiencia.   Las razones que le
daba no tenían réplica.   Todo lo que le pasaba e iba a   20
pasarle todavía, no era más que la consecuencia ineluc-
dible de su aturdimiento, de su ceguedad, de su insensatez.   Precipitada de cabeza en el abismo, no había
desviación posible; tenía que caer hasta el fondo.   Así
pues, no había escapatoria; era como una avecilla presa   25
en las redes, como una mosca envuelta en la negra tela
de una araña monstruosa, y más envuelta a medida que
eran mayores los esfuerzos que hacía para salir de ella.

A esta consideración, Manuela sentía circular en su
cuerpo un calosfrío de muerte, y se apoderaba de ella   30
un fuerte deseo de escaparse, de volar, al que sucedían
luego un desmayo y un desaliento indecibles.

¡Fingir! ¡disimular!   Esto era horroroso, y sin em-

bargo, no le quedaba otro camino. Se propuso pues,
seguirlo, cambiar de conducta enteramente y engañar
al Zarco para inspirarle confianza, a fin de aprovechar
la primera oportunidad para escaparse de sus garras.

Así es que, aunque se había propuesto seguir los   5
consejos que se le habían dado, y adoptar el camino del
disimulo, no pudo hacerlo, y se encerró en un silencio
y en una tristeza más obstinados todavía que los de los
días anteriores.

El Zarco se manifestó enojado, al fin, y la riñó.   10

—Si sigues triste, vas a hacer que yo cometa una
barbaridad, —le dijo.

Manuela se encogió de hombros.

Pero una tarde llegó el Zarco a caballo y muy contento. Durante el día había hecho una expedición en   15
unión de varios compañeros. Saltó del caballo a la
puerta de la capilla y corrió a ver a Manuela, que como
casi siempre, se hallaba encerrada en la especie de alcoba
que se le había improvisado.

—Toma, —le dijo el bandido, —para que ya no   20
estés triste.

Y puso en sus manos una talega con onzas de oro.

—¿Qué es esto? —preguntó Manuela con disgusto.

—Mira lo que es, —contestó el Zarco, vaciando las
onzas en la cama. —Pues los muchachos me fueron a   25
traer a un francés hasta cerca de Chalco, figúrate, hasta
cerca de México. ¡Es rico y aflojará la moneda! Ya
mandó la familia cien onzas, pero mañana mandarán
quinientas.

—¡Cielos! —exclamó Manuela espantada.   30

—¡Qué! ¿te espantas, soflamera? ¡Pues vaya que
estás lucida! En lugar de que te alegraras, porque con
ese dinero vamos a ser ricos. Yo les daré a los compa-

ñeros algo, pero nos cogeremos la mayor parte, y
después nos iremos zafando de aquí poco a poco, porque no se puede hacer luego luego, y nos marcharemos
por ahí, para Morelia o para Zacatecas o para en casa de
los diablos, donde no sepan quien soy, y pondré un 5
mesón o compraremos un rancho, porque, lo que eres
tú, no tienes pinta de querer llevar esta vida, ¡y que me
lo habías prometido! . . .

Manuela, sin darse por entendida de este reproche,
después de haber mirado el oro con indiferencia le 10
contestó:

—Oye, Zarco, aunque no me traigas más dinero, te
ruego que sueltes a ese hombre.

—¿Qué es lo que estás diciendo? —preguntó el
Zarco, con voz ronca en que se traslucía la cólera más 15
salvaje. —¿Estás loca, Manuela, para decirme eso?
¿Conque nada más por ti, por ti no más, ingrata, he
arriesgado a los muchachos para que vayan a traerme a
ese rico, para que nos dé dinero, para que nos replete
de onzas, para que te compres alhajas, vestidos de seda, 20
todo lo que quieras, y ahora me sales con esta compasión y con estos ruegos? Si tu modo de pensar era
diferente, ¿por qué no te casaste con el indio de
Atlihuayán? ¡Ése no es ladrón! Pero conmigo . . . o
te conformas con la vida que llevo o te mueres, Manue- 25
la, —dijo el Zarco arrimándose a la joven, abriendo
los ojos, apagando el acento y poniendo la mano en el
puño de la pistola.

Manuela tembló ante esta explosión de ira.

Acabando de decir esto el Zarco, se oyó un gran 30
ruido de voces, mezclado al rasgueo de guitarras y de
jaranitas, y entraron en la capilla Salomé Plasencia,
Palo-Seco, el Tigre, Linares y otros veinte bandoleros
más, que parecían regocijados y estaban ebrios.

—¡Zarco! —gritaron, —ahora estás rico, hermano, y vamos a hacer un baile para que se alegre la chata que te has traído de Yautepec y que se está muriendo de tristeza.

—¡A ver! ¡sácala, y que venga a bailar con nosotros el valse y la polca y el chotis!

—Ven, Manuelita, y cuidado con disgustar a mis compañeros, —dijo el Zarco, tomando de la mano a la joven, que se dejó arrastrar como una víctima y que procuró fingir una sonrisa.

—Aquí estoy, hermanos, y aquí está mi chata para ir al baile.

—Hüerita, —dijo Salomé, que traía una botella en la mano. —Nos va a acompañar al baile que vamos a hacer para celebrar las hazañas del Zarco; véngase para acá y deje de estar allí tan triste como la Virgen de la Soledad el viernes santo.

—Bueno, bueno, —dijo el Zarco, —vamos a disponer el baile y a preparar los licores, que ya vendré por Manuela para llevarla. Vístete, mi vida, y componte para el baile, que ya vengo por ti.

—Zarco, tú eres celoso, —dijo Salomé, dándole una palmada en el hombro, con tono de burla; —eres celoso, y tú sabes que entre nosotros eso no se usa. Por ahora te consentimos esas tonterías, pero no sigas con ellas mucho tiempo, hermano, porque no convienen.

Manuelita tembló. Todo se convertía en nuevos peligros para ella. Luego que se quedó sola, llamó a su confidente para que la ayudara a vestirse.

Cuando el Zarco volvió, encontró a Manuela, ya vestida y compuesta para el baile, y muy bella, a pesar de su palidez y de su demacración. Como el baile se daba en las piezas que estaban un poco más enteras en la antigua casa de la hacienda, la pareja subió las ruino-

sas escaleras, y pronto se presentó en el salón, alum-
brado con velas de sebo y lleno de humo, en que se
habían reunido los bandidos para divertirse.

Resonaban allí algunos bandolones, guitarras y jara-
nas tocando polcas y valses, porque es de advertir que 5
esos bandidos eran poco aficionados a los bailes populares, como el jarabe, y sólo como una especie de adorno
o de capricho solían usarlos.

Al entrar Manuela con el Zarco, se alzó una gritería
espantosa; vivas, galanterías, blasfemias, todo eso salió 10
de cien bocas torcidas por la embriaguez y la crápula.
Todos los bandidos famosos estaban allí, cubiertos de
plata, siempre armados, cantando sus canciones. Manuela se estremeció; apenas acababa de soltarse del brazo
del Zarco, cuando se acercó a ella el mulato colosal y 15
horroroso que tanta repugnancia le inspiraba. Traía
todavía su venda, que le cubría parte de la cara, pero
dejaba ver su enorme boca, armada de dientes agudos
y blancos, de los que sobresalían los dos colmillos
superiores, que parecían hendirle el labio inferior, y 20
venía literalmente forrado en plata, como si hubiera
querido sobrepujar en adornos a sus demás compañeros.

—Ora va usted a bailar conmigo, hüerita, —dijo a
Manuela, cogiendo con una de sus manazas el brazo 25
blanco y delicado de la joven.

Por un movimiento irresistible Manuela retrocedió
asustada y procuró seguir al Zarco para refugiarse con
él. Pero el mulato la detuvo, riéndose, y dijo al
Zarco: 30

—Mira, Zarco, a tu chata, que corre de mí y no
quiere bailar. ¡Oblígala!

—¿Qué es eso, Manuela? ¿Por qué no quieres bailar

con mi amigo el Tigre? Ya te dije que has de bailar con todos, para eso has venido.

Manuela se resignó y, fingiendo una sonrisa lastimosa, se dejó conducir por aquel hombre feo y repugnante.

Después de haber dado algunas vueltas en aquel salón infecto, atropellando y empujando a cincuenta parejas de bandoleros y de mujeres, ebrios, el Tigre dejó de bailar, pero echándose el gran sombrero para atrás y devorándola con el único ojo que le quedaba libre, le dijo:

—Chatita, desde que la vi llegar con el Zarco me gustó, y le encargué a la Zorra, la mujer del Amarillo, que se lo dijera, no para que usted me correspondiera luego, sino para que lo supiera de una vez; no sé si se lo habrá dicho.

Manuela no contestó.

—Pues si no se lo ha dicho ahora se lo digo yo francamente; usted me ha de llegar a querer.

—¿Yo? . . . exclamó la joven asustada.

—¡Usted! —replicó el Tigre, —¡ya verá usted! Si usted admite mi cariño, ahora mismo, dígame una palabra y mato al Zarco . . . Si no, esperaré, y ya verá usted lo que le pasa.

—¡Pues yo se lo voy a decir al Zarco para que esté prevenido!

—¡Pues dígaselo usted, linda, dígaselo usted! —respondió el Tigre, con una risa desdeñosa y siniestra, en que se revelaba una resolución espantosa. —Ya el Zarco me conoce, —añadió, —y verá usted si es verdad lo que le digo; el Zarco, de quien se ha enamorado usted porque lo ha creído hombre, no es más que un cobarde. Conque dígaselo usted, y para que sea pronto, la voy a sentar y me quedo aguardando.

Manuela fué a sentarse aterrada. Seguramente iba a producirse allí una catástrofe; el Tigre deseaba provocarla a toda costa para matar al Zarco, y ella estaba destinada a ser el botín del vencedor. ¡Qué situación tan espantosa! Manuela se sentía agonizar.

Pero cuando ella buscaba con angustia a su amante, a quien, a pesar del horror que ya le inspiraba, creía su único apoyo, le vió dirigirse hacia ella, ceñudo, frío, lívido de cólera. Manuela creyó que estaba celoso del Tigre, y pensó que era llegado el momento de la riña que estaba temiendo.

Pero el Zarco, con una sonrisa satánica y enronquecido por la ira, le dijo:

—¡Conque ya sé cuál es el motivo de tus tristezas y de tu aburrimiento en estos días, ya me lo han contado! . . .

—Pero ¿qué es? ¿qué es? ¿qué te han contado, Zarco? —preguntó Manuela, tan asombrada como despavorida al oír estas palabras.

—Sí; ya me dijo la Zorra que lo que hay es . . . que te has arrepentido de haberte largado conmigo, que has conocido que no me querías . . . de veras . . ., que el único hombre a quien amabas era el indio Nicolás, que sientes haberlo dejado, que la vida con los plateados no te conviene, y que en la primera ocasión que se te ofrezca me has de abandonar.

—¡Pero yo no he dicho! . . . —interrumpió temblando Manuela.

El Zarco no la dejó hablar.

—¡Sí, tú se lo has dicho, falsa y embustera; no quieras negarlo! Yo tengo la culpa por fiarme de una catrina y una santularia como tú, que no quería más que alhajas y dinero. . . .

Manuela apenas pudo decir al Zarco, en actitud suplicante:

—¡Zarco, hazme favor de sacarme de aquí, estoy enferma! . . .

—¡No te saco, quédate! —contestó el bandido, en el paroxismo del furor.

No bien acababa de decir estas palabras, cuando hubo un gran ruido en la puerta de la sala, y varios bandidos, cubiertos de polvo y con traje desordenado por una larga caminata, se precipitaron adentro con aire azorado, y preguntando por Salomé Plasencia, por el Zarco, por el Tigre y por los demás jefes.

Salomé y los otros fueron a su encuentro.

—¿Qué hay? —preguntó aquél, mientras que todos los plateados iban formando círculo en torno suyo y cesaban, como es de suponerse, la música y la algazara del baile.

—Novedad, —respondió uno de los recién llegados, sofocándose. —Hemos corrido diez leguas para avisarles . . . Martín Sánchez Chagollán, el de Acapixtla, con una fuerza de cuarenta hombres, ha sorprendido a Juan el Gachupín y a veinte compañeros y los ha colgado en los árboles cerca de Casasano.

—¿Y cuándo? —preguntaron en coro los bandidos aterrados.

—Anoche a cosa de las diez los sorprendió. Estaban emboscados esperando un cargamento que iba a pasar, cuando Martín Sánchez les cayó, los acorraló y apenas pudieron escaparse cinco o seis, que vinieron a buscarnos y que se han quedado heridos y no han podido venir hasta acá.

—¿Pero . . . qué . . . no pelearon esos muchachos? —preguntó Salomé.

—Sí, pelearon, pero los otros eran más y traían muy buenas armas.

—¿Y qué? ¿no tuvieron aviso?

—¡Eso es lo que extrañamos! pero creo que la gente comienza a ayudar a Martín Sánchez y a faltarnos a nosotros.

—Pues es preciso vengar a nuestros compañeros y meter miedo a las gentes, para que no se vayan a voltear enteramente contra nosotros. Mañana, amaneciendo, todos vamos a salir de aquí, y que se nos reunan los demás que andan dispersos, y vamos a buscar a Martín Sánchez y a ver si es tan bueno contra quinientos hombres como contra treinta. Conque alístense para mañana.

—¡Ah! ¡otra noticia! —añadió otro de los recién llegados. —Esta mañana se enterró, en Yautepec, la madre de la muchacha que se trajo el Zarco.

Entonces se oyó un grito que hizo volver la cara a todos aquellos hombres.

—¡Mi madre! —exclamó Manuela, y se dejó caer desfallecida en el suelo.

—¡Pobrecita! —dijeron las mujeres, ya vueltas en sí de la embriaguez ante aquella lluvia de malas noticias.

—Levántala, Zarco, y llévatela y que se conforme, porque si no nos va a estorbar.

El Zarco, ayudado de algunas mujeres, levantó a Manuela, la cargó y se la llevó a la capilla, donde la recostó en su cama. La joven estaba moribunda. Tantas emociones seguidas, tantos peligros, tantas amenazas, tantos horrores, habían abatido aquella naturaleza débil y estaban obscureciendo aquel espíritu. Manuela parecía idiota y no hacía más que llorar en silencio.

El Zarco, preocupado también con mil pensamientos
diversos, encolerizado contra el Tigre, celoso de Nicolás,
cada vez más enamorado de Manuela, pero contrariado
infinitamente por las últimas noticias, y por la necesidad
que había de marchar, no sabía qué hacer.   5

Daba vueltas como una fiera encerrada en su jaula;
llamaba a las mujeres para que asistieran a su querida,
comunicaba órdenes a los bandidos que le obedecían y
le servían, preparaba maletas, registraba los baúles, se
sentaba unas veces a orillas de la cama en que se recli-   10
naba Manuela, y veía a ésta con miradas en que era
difícil distinguir el amor, el odio o las tentaciones de
una resolución siniestra; y otras se ponía a pasear a lo
largo de la capilla, blasfemando.

Por fin, se acercó a la joven y con acento frío y seco   15
le dijo:

—Ya eso no tiene remedio; deja de llorar, y prepá-
rate para que marchemos mañana de aquí y ayúdame a
hacer las maletas. Guarda bien tus alhajas; eso es lo
que importa.   20

XXII. *Martín Sánchez Chagollán*

¿QUIÉN ERA el hombre temerario que se había
atrevido a colgar a veinte plateados en los lugares
mismos de su dominio, y que así había causado aquel
movimiento en el cuartel general de los bandidos?

El nombre de Martín Sánchez Chagollán no era   25
enteramente desconocido en Xochimancas, de modo
que no causó sorpresa, pero sí la causó, y muy grande,
saber lo que había hecho.

¡Colgar a veinte plateados en los árboles de Tetel-

cingo, es decir, en el corazón mismo de aquella satrapía
en que no dominaban más que el crimen y el terror!

Martín Sánchez era un hombre ya entrado en años.
Tenía unos cincuenta; sólo que contaba con una de esas
robustas y vigorosas naturalezas que sólo se ven en el   5
campo y en la montaña, fortificadas por el aire puro,
la sana alimentación, el trabajo y las buenas costumbres.
Así es que, aunque cincuentón, parecía un hombre en
toda la fuerza de la virilidad.

De estatura pequeña, de cabeza redonda, y que   10
parecía encajada en los hombros por lo pequeño del
cuello, sus anchas espaldas, sus brazos hercúleos y sus
piernas torcidas y nervudas, revelaban en él al trabajador infatigable y al consumado jinete.

Sus ojos pequeños, verdosos y vivos, su nariz agui-   15
leña, su cara morena y bien coloreada, su boca de labios
delgados y fruncidos, su barba rasurada siempre, juntamente con su frente estrecha y sus cabellos cortados a
peine y casi erizados, le daban cierta apariencia felina.
Tenía una vaga semejanza con los leopardos.   20

Tal era el hombre que ejerció una influencia impor-
tantísima en esa época en la tierra caliente, y a cuya
acción se debió principalmente la extinción de esa plaga
espantosa de bandidos que por años enteros asoló
aquellas fértiles y ricas comarcas.   25

Vivía, pues, Martín Sánchez tranquilamente consa-
grado a sus labores, cuando, estando ausentes él y su
esposa, cayó a su rancho una gran partida de plateados.

El anciano padre de Martín y sus hijos se defendie-
ron heroicamente, pero fueron dominados por el nú-   30
mero, asesinado el anciano, así como uno de los hijos,
saqueada la casa e incendiada después, y destruído todo
lo que constituía el patrimonio del honrado labrador.

Cuando Martín Sánchez regresó de México, adonde
había ido, no encontró en su casa más que cenizas, y
entre ellas los cadáveres de su padre y de su hijo, que
no habían sido sepultados aún porque los otros hijos,
heridos y ocultos en el monte, no habían podido venir   5
al rancho.

Martín Sánchez no dijo nada. Fué a buscar a sus
hijos al monte; con ellos dió sepultura a los cadáveres
de su padre y de su hijo, y despidiéndose de su pobre
rancho, convertido en escombros, y de sus campos   10
incendiados, se llevó a su mujer y a su familia al pueblo
de Ayacapixtla, en donde esperaba tener mayor seguridad.

Entonces vendió lo poco que le había quedado, y, con
el dinero que reunió, compró armas y caballos para   15
equipar una partida de veinte hombres.

Después, ya sanos sus hijos, los armó, habló con
algunos parientes y les decidió a acompañarle, pagán-
doles de su peculio, y una vez lista esta pequeña fuerza,
fué a hablar con el Prefecto de Morelos y le comunicó   20
su resolución de lanzarse a perseguir plateados.

El Prefecto, alabándole su propósito, le hizo ver, sin
embargo, los terribles peligros a que iba a quedar
expuesto en medio de aquella situación. Pero como
Martín Sánchez le respondió que estaba enteramente   25
decidido a cumplir con su deber, le ofreció los auxilios
que estaban en su poder, y lo autorizó para perseguir
ladrones, en calidad de jefe de seguridad pública, y con
la condición de someter a los criminales que aprehen-
diera al juicio correspondiente.   30

Así autorizado Martín Sánchez partió con su pequeña
fuerza. Pero comprendiendo bien que con tan débiles
elementos no podía hacer frente a las huestes numerosas

de plateados que merodeaban en los distritos de Morelos, Yautepec y Jonacatepec, se limitó a una guerra
meramente defensiva, procurando combatir a partidas
pequeñas, con el objeto de aprovecharse de sus armas y
caballos para aumentar su fuerza.

Y así fué como, huyendo y caminando de noche, y
pagando emisarios, y haciendo jornadas fabulosas, poco
a poco fué derrotando algunas partidas de bandoleros,
y proveyéndose de armas, de municiones y caballos.

Luchaba con el desaliento general, con el terror a los
plateados, con la complicidad de muchas gentes, con la
hostilidad de algunas autoridades, meticulosas o com-
plicadas en aquellos crímenes; luchaba, en fin, hasta
con la poquedad de ánimo de sus mismos soldados, que
no teniendo más aliciente que el de un pequeño sueldo,
iban arriesgando la vida, y arriesgándola con los plateados, que siempre maïaban a los prisioneros.

Así es que Martín Sánchez tenía que vencer día a
día tremendas dificultades; pero su sed de venganza le
dió fuerzas superiores.

XXIII. El Asalto

LA CALAVERA era una venta del antiguo camino
carretero de México a Cuautla de Morelos, más famosa
todavía que por ser paraje de recuas, de diligencias y
de viajeros pedestres, por ser lugar de asaltos.

En efecto, no en la venta propiamente, pero sí un
poco más acá o un poco más allá, siempre había un
asalto en aquella época. Y es que por allí las curvas
del camino, lo montuoso de él y la proximidad de los
bosques espesos, y de las barrancas, ofrecían grandes

facilidades a los ladrones para ocultarse, emboscarse o escapar.

Por eso los pasajeros de la diligencia o los arrieros no se acercaban a La Calavera sino santiguándose y palpitantes de terror. El nombre mismo del paraje es 5 lúgubre. Probablemente allí había habido, en los antiguos tiempos, una calavera clavada en los árboles del camino y que pertenecía a algún famoso bandido, ajusticiado por las partidas de Acordada en la época colonial; o tal vez había habido muchos cráneos de 10 ladrones, y el vulgo, como tiene costumbre en México, había singularizado el nombre para hacerlo más breve.

Allí, pues, una tarde de otoño, ya declinando el sol, y tres meses después de haberse verificado los sucesos que acabamos de referir, se hallaba delante de la venta 15 una fuerza de caballería formada, y compuesta como de cuarenta hombres.

Estaban éstos uniformados de un modo singular: llevaban chaqueta negra con botones de acero pintados de negro; pantalones negros, con grandes botas fuertes 20 de cuero amarillo, y acicates de acero; sombrero negro de alas muy cortas, sin más adorno que una cinta blanca con este letrero: Seguridad pública. Y en cuanto a las armas, eran: mosquete terciado a la espalda, sable de fuerte empuñadura negra y vaina de acero. Cada 25 soldado llevaba una canana llena de cartuchos en la cintura. Los caballos magníficos, casi todos de color obscuro, las sillas y todo el equipo de una extrema sencillez y sin ningún adorno. Los ponchos negros, atados en la grupa. 30

Casi todos estos soldados parecían jóvenes, muy robustos, y tenían un gran aire marcial; pero su uniforme y su equipo les daban un aspecto lúgubre y que

infundía pavor. Parecían fantasmas, y en aquella venta
de La Calavera, y a aquella hora, en que los objetos
iban tomando formas gigantescas, y cerca de aquellos
montes solitarios, semejante fila de jinetes silenciosos y
ceñudos, más que tropa, parecía una aparición sepulcral.   5

El que seguramente era el jefe se hallaba pie a tierra,
teniendo su caballo de la brida, y parecía interrogar el
horizonte en que se perdía el camino en espera seguramente de alguno.

A pocos momentos salió de la venta un sujeto ya de   10
edad y bien vestido, que, dirigiéndose a este jefe le
preguntó:

—¿No parecen todavía, don Martín?

—¡Nada, ni su luz! —respondió éste.

Así, pues, aquel jefe era Martín Sánchez Chagollán,   15
y aquélla era su tropa, uniformada, según los propósitos de su jefe, de color obscuro y sin ningún adorno,
por odio a los plateados. También por odio a éstos
había determinado que los sombreros de sus soldados
no tuviesen las faldas anchas, sino, al contrario, muy   20
cortas y sin ningún galón.

Martín Sánchez veía con muy mal ojo a todos los que
usaban el sombrero adornado de plata, y como sus
sospechas iban haciéndose temibles, los sombreros sen-
cillos y obscuros se estaban poniendo de moda por   25
aquellos rumbos, porque eran una especie de salvaguardia.

Sin embargo, todavía en ese tiempo Martín Sánchez
estaba muy lejos de llegar a ser el terror de los bandidos y de sus cómplices. Todavía tomaba mil pre-   30
cauciones para sus marchas y sus expediciones, temeroso
de ser derrotado. Ya había colgado un buen número
de plateados, pero ya le habían acusado muchas veces

de haber cometido estos abusos para los que no estaba
autorizado, pues, como lo hemos dicho, sólo tenía
facultades para aprehender a los criminales y consignar-
los a sus jueces. Pero Martín Sánchez había respon-
dido que no colgaba sino a los que morían peleando, 5
y eso lo hacía para escarmiento.

En esto es muy posible que ocultara algo, y que
realmente él fusilara a todo bandido que cogía; pero,
como se ve, ni había podido desplegar toda su energía
ni tenía los elementos necesarios para hacerlo, pues no 10
contaba más que con aquellos cuarenta hombres y con
su resolución.

El sujeto que acababa de dirigirle la palabra y que
parecía ser un rico hacendado o comerciante, viendo
que no venían las personas a quienes esperaban, dijo: 15

—Pues, don Martín, supuesto que esos señores no
parecen, si usted no dispone otra cosa, seguiremos
nuestra marcha, porque se nos hace tarde, y no llegare-
mos a Morelos a buena hora. Además, el cargamento
se ha adelantado mucho, y podría ocurrirle algún 20
accidente.

—Yo creo, —respondió Martín, —que no hay cuidado por esa parte. Saben que estoy por aquí, y no se
han de atrever. Pero este don Nicolás sí me tiene con
inquietud. Algo le ha de haber pasado, puesto que no 25
llega. Me escribió que saldría de Chalco a la madrugada; debe haber almorzado en Tenango, y ya era hora
de que estuviera con nosotros. Es verdad que viene
bien acompañado y que además es muy hombre; pero
estos malditos son capaces de haberle puesto una em- 30
boscada de Tenango acá, aunque yo no tengo noticia
de que haya aparecido ninguna partida ayer ni antier.
Y figúrese usted que el pobre va a casarse, y que ha ido

a México a emplear una buena cantidad de dinero en las donas; de modo que los malditos, además de matarlo, cogerían una buena suma en alhajas. En fin, dejaré a unos muchachos aquí por si viniere, y nos adelantaremos, porque, en efecto, el cargamento ya ha de ir lejos.

Entonces Martín Sánchez montó a caballo y desfiló con su tropa, acompañado de aquel comerciante y de sus mozos, y dejando unos diez hombres, con orden de acompañar a Nicolás, nuestro conocido, que venía de México.

No bien habían caminado casi una media hora, cuando oyeron tiros, y un arriero corría a escape para encontrarlos, gritándoles que los plateados estaban robando el cargamento.

Martín, a la cabeza de su fuerza, se avanzó a escape, y momentos después caía sobre los bandidos, que lo recibieron con una lluvia de balas y con una gritería insolente, diciéndole que ése era su último día.

Los jinetes negros hacían prodigios de valor, lo mismo que su jefe, que se lanzaba a lo más fuerte del combate. Pero los plateados eran numerosos y estaban mandados por los jefes principales; la tropa de Martín estaba literalmente sitiada; ya seis u ocho de aquellos bravos soldados habían caído y otros comenzaban a cejar; se había empeñado la pelea al arma blanca, y Martín, rodeado de enemigos, se defendía herido, desesperadamente, y procurando vender cara su vida, cuando un socorro inesperado vino a salvarlo.

Era Nicolás, que con los diez soldados que le había dejado Martín en La Calavera, y con otros diez hombres que traía, habiendo oído el tiroteo, se adelantó a toda carrera y llegó justamente en los momentos de mayor apuro para Martín Sánchez. Aquel valiente y aquella tropa de refresco produjeron un momento de confusión entre los plateados; aun así, eran éstos muy superiores en número y siguieron combatiendo.

Pero Nicolás era hombre de un arrojo irresistible, montaba un caballo soberbio y llevaba excelentes armas. Así es que viendo a Martín Sánchez cercado, se lanzó sobre el grupo, repartiendo tajos y reveses. Ya era tiempo, porque el valiente jefe tenía la espada rota v estaba herido.

El Zarco y el Tigre eran los que rodeaban a Martín, pero al ver a Nicolás retrocedieron y procuraron huir. El herrero, al reconocer al Zarco, no pudo contener un grito de odio y de triunfo. ¡Por fin lo tenía enfrente!

Partió sobre él como un rayo; el bandido, perdido de terror, se salió del combate y se dirigió a un bosquecillo, en donde estaban algunas mujeres de los bandidos a caballo, pero ocultas.

Nicolás alcanzó al Zarco, precisamente al acercarse éste al grupo de mujeres, y allí, al mismo tiempo que el bandido le disparaba sin herirlo su mosquete, le abrió la cabeza de un sablazo y le dejó tendido en el suelo, después de lo cual volvió al lugar de la pelea, no sin gritar:

—¡Ya está vengada doña Antonia!

Ni oyó siquiera, furioso como estaba, el grito de Manuela, que era una de las mujeres que estaban a caballo, y que le había conocido precisamente en el instante mismo en que hería al Zarco.

La pelea, después de esto, duró poco, porque los bandidos huyeron despavoridos, dejando libre el cargamento.

El sol se había puesto ya enteramente. Avanzaban

las sombras, y a la luz crepuscular, Martín Sánchez recogió sus muertos y heridos, lo mismo que los de los plateados, operación que le hizo detenerse algunas horas hasta que anocheció completamente.

Entonces temiendo que los plateados se rehicieran y volvieran sobre él con todas las ventajas que les daban el número y la obscuridad, determinó que alguno se avanzara rápidamente hasta Morelos, y pidiera a la autoridad el auxilio de fuerza y las camillas que se necesitaban.

La comisión era peligrosísima; los bandidos no debían estar lejos, y era de temerse una emboscada en el camino. Sólo un hombre podía desempeñarla, y Martín Sánchez, en aquella angustia, no vaciló en pedir tal sacrificio a Nicolás.

—Señor don Nicolás, —le dijo, —sólo usted es capaz de exponerse a ese riesgo, pero acabe usted su obra. Ya nos salvó usted hace un rato. Ahora, sálvenos de una vez. Usted conoce los caminos, tiene buen caballo y es hombre como ninguno. Se lo ruego . . .

Nicolás partió inmediatamente. Cuando Martín le vió perderse entre las sombras:

—¡Yo no he visto nunca, —dijo, —un hombre tan valiente como éste!

—Pero en un descuido lo van a matar por ahí, —dijo el comerciante.

—¡Dios ha de querer que no! —replicó Martín Sánchez. —¿Pero qué quiere usted que hagamos para salir de aquí? No hay más que este recurso. ¡No le ha de suceder nada, ya verá usted! Don Nicolás tiene fortuna. Y es tan bueno . . . ¡valía más que me mataran a mí y no a él!

Entretanto los soldados que observaban las cercanías

de aquel lugar para ver si había aún algunos heridos, volvieron diciendo que cerca, en unos matorrales, estaba llorando una mujer junto a un cadáver.

Don Martín fué en persona a reconocer a esa mujer, que no era otra que Manuela, que no había querido huir como sus compañeras, no por amor al Zarco, sino por miedo al Tigre.

Martín, examinando el cuerpo, se cercioró de que no respiraba. La herida que recibió el Zarco fué mortal. El bandido estaba bañado en sangre y era difícil reconocerle, pero por Manuela se supo que era el Zarco. Martín Sánchez se estremeció de gozo. Aquel bandido temible y renombrado había caído.

A la madrugada llegó la autoridad de Morelos con la fuerza y las camillas. Martín le entregó los bandidos prisioneros y heridos, juntamente con aquella mujer. Nicolás apenas los vió, y Manuela, por su parte, no quiso dar la cara de vergüenza y se cubrió la cabeza completamente con su rebozo.

Así marcharon a Morelos, Martín para curarse de sus heridas, que eran graves, lo mismo que sus soldados, continuando Nicolás a Yautepec a fin de preparar su matrimonio.

Manuela, como era natural, permaneció en la cárcel, incomunicada, y viendo en su imaginación la imagen de Nicolás cada vez más bella.

XXIV. El Presidente Juárez

EL PARTIDO de los bandoleros aun era muy fuerte y contaba con grandes influencias, tanto en México como en la tierra caliente. La desorganización

en que se hallaba el país, en aquel tiempo, era causa
de que se viese semejante escándalo. Martín Sánchez
reflexionó que mientras no se emprendiese en grande
la lucha con los bandidos, éstos, por la mancomunidad
de intereses que tenían entre sí, habían de favorecerse   5
siempre; que mientras él, Martín, y otros jefes perse-
guidores no tuviesen facultades como las que tuvo en
otro tiempo el famoso Oliveros, había de ser inútil toda
persecución.

En ese concepto, pensó en dar un paso decisivo para   10
saber a qué atenerse; resolvió ir a México, para apersonarse con el Presidente Juárez, darle cuenta con verdad
del estado en que se hallaba la tierra caliente, decidirlo
en favor de la buena causa y pedirle facultades, armas
y apoyo.   15

Estando restablecido, se dirigió a México, y aunque
no contando con ningún valimiento ni reputación, pro-
visto sólo de algunas cartas de amigos del Presidente
Juárez, se presentó a éste tan pronto como pudo.

Martín Sánchez pensó encontrar en el Presidente a   20
un hombre ceñudo y tal vez predispuesto contra él, y
se encontró con un hombre frío, impasible, pero atento.
El jefe campesino lo abordó con resolución y le presentó
las cartas que traía. El Presidente las leyó, y fijando
una mirada profunda y escrutadora en Martín Sánchez   25
le dijo:

—Me escriben aquí algunos amigos, que usted es un
hombre de bien y el más a propósito para perseguir a
esos malvados que infestan el sur del Estado de México,
y a quienes el Gobierno, por sus atenciones, no ha   30
podido destruir. Infórmeme usted acerca de eso.

Martín Sánchez le hizo un informe detallado, que el

Presidente escuchó con su calma ordinaria; pero que interrumpió a veces con señales de indignación. Al concluir Sánchez, Juárez exclamó:

—¡Eso es un escándalo, y es preciso acabar con él! ¿Qué desea usted para ayudar al Gobierno?

Entonces, animado Martín Sánchez por esas frases del Presidente, lacónicas como todas las suyas, pero firmes y resueltas, le dijo:

—Armas, nada más que armas, porque no tengo sino unas cuantas. No necesito muchas, porque yo se las quitaré a los bandidos, pero para empezar, necesitaré unas cien.

—Cuente usted con ellas. Mañana venga usted al Ministerio de la Guerra y tendrá usted todo. Pero usted me limpiará de los ladrones ese rumbo.

—Lo dejaré, señor, en orden.

—Bueno, y hará usted un servicio patriótico, porque hoy es necesario que el gobierno no se distraiga, para pensar sólo en la guerra extranjera y en salvar la independencia nacional.

—Confíe usted en mí, señor Presidente.

Juárez se levantó y alargó la mano al terrible justiciero.

Al ver a aquellos dos hombres, pequeños de estatura, el uno frente al otro; el uno de frac negro, como acostumbraba entonces Juárez, el otro de chaquetón también negro; el uno moreno y con el tipo del indio puro, y el otro amarillento, con el tipo del mestizo y del campesino; los dos serios, los dos graves, cualquiera que hubiera leído un poco en lo futuro se habría estremecido. Era la ley de la salud pública armando a la honradez del pueblo.

XXV. El Principio y El Fin

A LOS pocos días de esta entrevista y en una
mañana de diciembre, templada y dulce en la tierra
caliente como una mañana primaveral, el pueblo de
Yautepec se despertaba alborozado y alegre, como para
una fiesta.   5

Y en efecto, esperaba una fiesta; no una fiesta religiosa, ni pública, sino una fiesta de familia, una fiesta
íntima, pero en la que tomaba parte la población
entera.

Nicolás, el honradísimo herrero de Atlihuayán, se   10
casaba con la buena y bella Pilar, la perla del pueblo
por su carácter, por su hermosura y sus virtudes.

Así es que se festejaba su enlace con toda solemnidad. Desde muy temprano, desde que la luz del alba
había extendido en el cielo, limpio de nubes, y sobre   15
las montañas, las huertas y el caserío, su manto aperlado
y suave, los repiques a vuelo, en el campanario de la
iglesia parroquial, habían despertado a los vecinos; la
música del pueblo tocaba alegres sonatas, y los petardos
y las cámaras habían anunciado la misa nupcial.   20

La iglesia, los altares, y especialmente el altar mayor,
en que iba a celebrarse el casamiento, estaban llenos de
arcos y de ramilletes de flores. Todos los naranjos y
limoneros de Yautepec, y se cuentan por centenares de
miles, habían dado su contribución de azahares. Sin   25
exageración podía decirse que ninguna novia en el
mundo había contado jamás, en el camino de su casa a
la iglesia, en ésta, y en la casita que se le había dispuesto
en Atlihuayán, con un adorno en que se ostentara la
flor simbólica con tal riqueza y tal profusión. Era una   30

lluvia de nieve y de aroma que rodeaba a la pareja por
todas partes. A las siete de la mañana, ésta apareció
radiante en la puerta de la casa de Pilar y se dirigió a
la iglesia, acompañada de sus padrinos y de una comitiva
numerosa.   5

Ya la noche anterior se había celebrado el matrimonio civil, delante del juez recién nombrado, porque
la ley de Reforma acababa de establecerse, y en Yautepec, como en todos los pueblos de la República,
estaba siendo una novedad. Nicolás, buen ciudadano,   10
ante todo se había conformado a ella con sincero
acatamiento.

Pero todavía en ese tiempo, como ahora mismo, la
fiesta de bodas se reservaba para el matrimonio religioso.
Los novios, pues, se presentaron ante el altar.   15

Nicolás, vestido con esmero, aunque sin ostentación,
manifestaba en el semblante una alegría profunda, un
sentimiento de felicidad tanto más verdadero, cuanto
que se cubría con un exterior grave y dulce. Pilar
estaba encantadora; su belleza natural se hallaba real-   20
zada ahora por su traje blanco y elegante, por su peinado de cabellos negros y sedosos, adornados con la
corona nupcial, aquella corona que ella se complacía
siempre en formar con el mayor gusto.

El rubor natural causado por aquel momento y por   25
ser el objeto de las miradas de todos, la timidez, el
amor, aquel concurso, aquel altar lleno de cirios y de
flores, la voz del órgano, el murmullo de los rezos, el
incienso que llenaba la nave, todo había producido
en ella tales y tan diversas emociones, que parecía como   30
arrebatada a un mundo extraño, al mundo de los sueños
y de la dicha.

Con todo, y a pesar del aturdimiento que la embargaba, la buena joven tuvo un pensamiento para la pobre anciana a quien había amado como a una madre, para la infeliz mártir cuyo luto acababa de llevar y cuyas bendiciones la protegían. Una lágrima de ternura inundó sus mejillas al recordarla, y al recordar también a la desdichada Manuela, por quien oró en aquel momento en que era tan feliz.

Por fin la misa acabó, y los novios, después de recibir los plácemes de sus amigos, de todo el pueblo, se dispusieron a partir para la hacienda de Atlihuayán, en donde tenían su casa, a la que habían invitado a muchas personas de su estimación para tomar parte en un modesto festín.

Al efecto, se dispuso una cabalgata que había de servir de cortejo al guayín en que caminaban los esposos, con el cura y otros amigos.

A las ocho de la mañana partieron, y comenzaron a caminar por la carretera que conducía a la hacienda.

Pero poco antes de llegar al lugar en que se alzaba el gran amate en que siempre cantaba el buho las noches en que pasaba el Zarco, cuando venía a sus entrevistas con Manuela, la comitiva se detuvo estupefacta.

Al pie del corpulento árbol estaba formada una tropa de caballería, vestida de negro y con las armas preparadas.

Nadie esperaba ver allí a esa fuerza, que se aparecía como salida de la tierra. ¿Qué podía ser?

Era la tropa de Martín Sánchez Chagollán, como cien hombres, con el aspecto lúgubre y terrible que les conocemos, que conducía un convoy de criminales condenados a prisión.

Al descubrir el cortejo nupcial, alegre y acompañado

de la música, el comandante, es decir, Martín Sánchez,
se adelantó hasta donde venía el guayín de los novios,
y quitándose el sombrero respetuosamente, dijo a
Nicolás:

—Buenos días, amigo don Nicolás; no esperaba
usted verme por aquí, ni yo esperaba tener el gusto de
saludar a usted y de desearle mil felicidades, lo mismo
que a la señora, que es un ángel. Ya le explicaré a
usted el motivo de mi presencia aquí. Ahora mi tropa
va a presentar las armas, en señal de respeto y de
cariño, y yo le ruego a usted que continúe sin parar
hasta la hacienda. Allá iré yo, después.

Pero en esto una mujer, una joven en quien todos
reconocieron luego a Manuela, se abrió paso entre la
fila de los jinetes y vino corriendo, arrastrándose, des-
melenada, desencajada, temblando, pudiendo apenas
hablar, y asiéndose de las puertas del guayín, dijo,
con una voz enronquecida y con palabras entrecor-
tadas:

—¡Nicolás! ¡Nicolás! ¡Pilar! hermana . . . ¡Socorro!
¡Misericordia! ¡Tengan piedad de mí! . . . ¡Perdón!
¡Perdón!

Nicolás y Pilar se quedaron helados de espanto.

—Pero ¿qué es eso? . . . ¿qué tienes? —gritó Pilar.

—Es que . . . —dijo Manuela, —es que . . . ¡me
voy a volver loca! . . .

Pilar estaba temblando. En cuanto a Manuela, por
un rapto de locura, había corrido ya al lado de Nicolás
y seguía gritando palabras incoherentes. Al instante se
llevó las manos al corazón, dió un grito agudo y cayó
al suelo.

—¡Pobre mujer! —dijo don Martín. —Levántenla
y la llevaremos a Yautepec.

Dos soldados fueron a levantarla, pero viendo que arrojaba sangre por la boca, y que estaba rígida y que se iba enfriando, dijeron al jefe:

—¡Don Martín, ya está muerta!

FIN.

Notes

P. 1:1   **Yautepec.** As a general rule Indian geographical names are pronounced as if they were Spanish names because the spelling is phonetic and graphically represents the sound of the words. Thus such words as **Yautepec, Amilpas, Cuautla, Tepoztlán, Zacatecas,** etc. are pronounced like Spanish words. A few exceptions to this general rule are: **x** is pronounced like the Spanish s at the beginning of a word—**Xochimancas,** and before other consonants like the English *sh* in *dish*—**Acapixtla.**

P. 1:1 and   **tierra caliente . . . tierra fría** the low lands
P. 33:20, 22, 24 south of the tropic of Cancer are called in Mexico **tierra caliente** because of the heat encountered there; the high regions where the temperature is much lower because of the altitude are called **tierra fría.**

P. 1:6   **la** refers to **población,** line 1.

P. 1:20   **diríase = se diría.** Frequently the object pronoun is appended to the verb when otherwise the pronoun would be the first word of a sentence or clause.

P. 2:20   **Apenas acababa de ponerse el sol** *The sun had just set*

P. 3:27   **Plateados** a name given to the bandits described in this novel because of the silver adornments on their clothes and on the trappings of their horses, just as the men of Francisco Villa were called **dorados** because of their use of gold ornaments. Villa was a bandit who, with his band of about 400 men, attacked Columbus, New Mexico, March 9, 1916. They were pursued without success over the border into Mexico by United States troops under the command of Pershing. Villa was assassinated in 1923.

P. 4:13   **Semejante vecindad hacía que** *It was so close that* (lit. *Such a neighborhood caused the towns . . .*)

P. 5:5   **La otra joven tendría diez y ocho años** *The other girl must have been about eighteen years old;* **tendría** = conditional of probability in past time.

P. 6:20–22   **Bonitos están los tiempos, —exclamó amargamente la señora, —lindos, para andar en bailes o asomarse a las ventanas. ¿Para qué querríamos más fiesta?** *"These are fine times," exclaimed the señora bitterly, "fine times to be going to balls and looking out of windows. What more could we ask for?"* (ironical)

P. 6:25   **No veo la hora de que venga mi hermano** *I can't wait for my brother to come*

P. 7:4   **yo estoy mala del corazón** *it has affected my he rt*

P. 7:16   **lo que es enfermedad:** the words **lo que es** give emphasis to the noun.

P. 8:20   **en eso habíamos de acabar** *so that's what we were coming to* (more freely *so that was on your mind*)

P. 9:5–7   **mejor me quedaré para vestir santos . . . el de quedarte para vestir santos** *I'd rather be an old maid . . . the [danger] of you're being an old maid.* In the middle of the 19th century the well-born Mexican woman had no other occupation than that of caring for her

home.   Save for those who entered the con-
vent, women had no future except marriage.
Those who did not marry and thus had no
home to occupy their attention dedicated themselves to the care of the altars and images of
the church.   For this reason, when a girl
reaches a certain age and is not married, people
say, —Se queda para vestir santos.

P. 10:22   sus amigos del real *his friends of the town*
When they belonged to the king or the crown
and not to private individuals, the towns, military camps, mines, roads, etc. were called
reales.   Even today the roads are called caminos reales in Mexico because they were
once the king's highways.   The ranch of Atlihuayán was part of a Spanish town or real, as
it was called in the epoch in which it was
founded.   This name has clung to it as has
happened in other places.   In popular songs
the town of Zacatecas (see map) is still called
El Real de Zacatecas.

P. 11:14   Yo no veré *I shall not live to see*

P. 13:5   merece un relicario Manuela says scornfully
that Nicolás is such a remarkably fine fellow
that he deserves to be put in a locket, where
precious keepsakes are preserved.   Translate
freely *he should be put on a pedestal.*

P. 20:1–2   como nuestros charros, los más charros
de hoy *like our most flamboyant horsemen
today.*   It is impossible to find a completely
satisfactory translation for the noun *charro.*
According to the *Enciclopedia Espasa,* the
charro is a horseman, and a man expert in
breaking and training animals.   He is further
distinguished by his dress, which is of a characteristic cut and is overloaded with trimmings

of silver braid, buttons, and other ornaments.

P. 24:17   estuvo supply **en casa**: *was at the house*

P. 25:1   **lo más preciso** *the most essential things* or *what we need most.* The neuter article plus the masculine form of the adjective or past participle constitutes a substantive expression. Several other examples of this idiomatic usage occur in our text. See, for instance, P. 50:12 and P. 101:20.

P. 25:5–6   **primero me matan** *they shall kill me first* or *only over my dead body.* Note the use of the present for the future, as also in **hacemos** on line 7.

P. 25:20   **lo de irnos.** . . . The neuter article **lo** followed by **de** and infinitive may often be translated, as here, *in the matter of, as for.*

P. 25:31   **habiendo** impersonal: *there being*

P. 27:17–18   **estáte en el día, como si tal cosa, con mucho disimulo** *act during the day as if nothing was happening, hiding your feelings*

P. 29:13–14   **¡Si esto parece el sol!** *Why this shines like the sun!*

P. 29:33   **que vengan de donde vinieren:** *wherever they may come from.* The second verb is in the future subjunctive, a form seldom used nowadays except in alternative expressions of this type. For another example of its use see P. 126:4 where a future contingency is referred to. In both cases the present subjunctive could have been used in place of the future subjunctive.

P. 33:20, 23   See note to P. 1:1.

P. 35:1   **al Sur de Puebla** = **al sur del Estado de Puebla**

P. 38:23   **tecolote** a Mexican name for the owl, corruption of the Aztec **tecolotl.** The author refers to the deep-rooted superstition, especially prevalent among the Indians, that the dismal hoot of the owl is a summons to death. There is a well-known popular saying, **Cuando el tecolote canta, el indio muere; no será cierto, pero sucede.**

P. 39:24   **como siempre** *unchanged,* or *as much your friends as ever*

P. 39:30   **¡Cómo ha de ser!** *It can't be helped!*

P. 40:14   **a quién ha sacado** *whom she takes after*

P. 40:21–22   **no sé qué cosa tan extraña** *something so strange*

P. 45:31   **no procuraba otra cosa que apresurarse** *concentrated all her efforts on hastening*

P. 48:6   **por lo que se ofreciera** *in case anything should happen*

P. 50:20   **¿Qué es de mi hija?** *What has become of my daughter?*

P. 52:12–15   **La aguda y fría hoja de un puñal . . . causó** *Had the sharp, cold blade of a dagger pierced the heart of the unhappy mother, she would not have felt the intense pain and weakness that this sight caused her.*

P. 58:27ff.   **derechos de madre** are the rights of a parent (father or mother) to impose his will upon his children until they are of age. Doña Antonia has the right to forbid Manuela to go with El Zarco but she has no control over the bandit. She can obtain satisfaction, however, by appealing to **la autoridad** (see P. 58:29, 31) which is the legal authority vested in the **prefecto** (see P. 59:3, 10, 11, etc.).

P. 60:20–21   **eso estuvo bueno siempre; pero, por fin, ¿y el Zarco?** *That was a good thing in any case; but, to come to the point, what about El Zarco?*

P. 60:25–26   ¡Bonito él para haberse quedado en este rumbo! freely, *He would be a madman to have stayed around here!*

P. 62:2   Márquez con los reaccionarios Not all the Conservatives submitted after the victory of the Liberals at Calpulalpam (see Introduction). Those who continued the struggle against the triumphant party were called reaccionarios.

P. 62:25–26   en ademán de vergüenza y de resignación *with a gesture of shame and resignation.* en ademán de is an adverbial expression and is translated differently according to its context. Compare its use here with that in P. 69:5, 15 below.

P. 63:4   ¿Qué me ha de pasar? *What should be happening to me?*

P. 64:28–29   no sería nada más por la muchacha *it would not be only for the girl*

P. 65:25–28   ¿Usted qué sabe de eso, don cualquiera, ni qué tiene usted que gritarme aquí, ni que leerme la cartilla, ni quién le ha dado a usted facultades para hablarme en ese tono? *What do you know about that, Mr. Whatsyourname, and what business is it of yours to shout at me and to lay down the law to me, and who has given you authority to talk to me in that tone?*

P. 66:16   el más mínimo delito Notice the double superlative, used for emphasis.

P. 68:1–2   no temió para nada el qué dirán de las ·gentes de su pueblo freely, *she did not fear at all what the people of her village would say*

P. 69:4–5   se levantó en ademán de recibirla *he got up as if to receive her*

P. 69:14–15   dijo Pilar en ademán de súplica *said Pilar beseechingly*

P. 69:16   **No le hace** *That makes no difference.* The Spanish expression is elliptical, the words **al caso** being understood after the verb.

P. 70:11–12   **era superior a sus fuerzas con ser ellas tantas, y con tener un carácter de bronce** *it was superior to his strength in spite of his having so much and in spite of an iron will*

P. 73:25   **lo:** the antecedent is **El señor juez de primera instancia,** in line 23.

P. 73:31–32   **para lo que haya lugar** *for any need that may arise* or *anything that may turn up.*

P. 75:16   **¡Era bueno que ustedes mostraran . . . !** *It would be a good thing if you would show . . . !* The main verb in this type of exclamation, which closely approaches a contrary-to-fact condition, is usually in the conditional **(sería)** or imperfect subjunctive in -r **(fuera).** The imperfect indicative is colloquial.

P. 79:31ff.   **lo ennoblecía: lo** refers to **título,** line 30; **hacían,** line 33, is plural to agree with the two qualities ascribed to Nicholas's love in the adjectives **sincero** and **puro.** Translate: *the sincerity and purity of his love . . . made him value it,* etc.

P. 80:14–16   **Su amor, ya bastante desarraigado por los desaires anteriores . . . prueba** *His love, already considerably weakened by the earlier rebuffs, could not survive the final ordeal*

P. 82:10–13   **y sentía sus hermosos brazos . . . manos** The use of the possessives **su, sus** is slightly confused here; except before **cuello** and **mano** they refer to **Pilar.**

P. 83:9   **lo lograría** The subject of **lograría** is **ella** understood.

P. 85:27–28   **que se le habían prodigado por las personas** Notice the use of **por** expressing the agent with the reflexive substitute for the passive. When the agent is expressed, it is rather more customary to use the true passive.

P. 87:25–26   **la agonía, la vida** Translate the definite article by the possessive *her*.

P. 90:2   **en son de triunfo** *triumphantly* Notice that **en son de** + noun is always an adverbial expression.

P. 91:14   The preterite **cautivó** shows the beginning of the action, i.e. *who began to captivate her* or *who captivated her from this time on*, etc.

P. 92:3   **habíase formado** Notice that in compound tenses the object pronoun, if it does not precede the whole verbal expression, is appended to the auxiliary.

P. 93:10   **jorongo:** a blanket with an opening in the middle so that by putting one's head through the hole the blanket will fall in front and back leaving the arms free. Any blanket may be used thus and a popular saying is, **Cualquier zarape es jorongo abriéndole bocamanga** (*the name of the opening in it*).

P. 93:13   **habituada en** *whose ideas had been formed on*

P. 94:10   **rayando el caballo** The rider races the horse forward and suddenly, by use of the bit, checks the animal causing it to rear up on its hind feet. This **rayar el caballo** presents a pleasing picture when a good horseman is astride a spirited mount.

P. 96:12–13   **Nosotros tenemos nuestros dichos aparte,** *We have our own way of talking.*

P. 97:28 and P. 98:13   **güerito, -a** and **huerito, -a,** diminutives of **güero** and **huero,** different forms of the same word, both mean *blond* in Mexico, but are evidently used to describe a person with a fair skin, whatever be the color of the hair and eyes.

P. 97:33 Fra Diávolo was a Neapolitan bandit who terrorized the south of Italy. He fell into the hands of French troops commanded by General Hugo (father of Victor Hugo) and was hanged in 1806.

P. 100:4 ¡lo que he ido a hacer! *What have I done!*

P. 100:16 se está habituado impersonal: *one is accustomed*

P. 100:22–23 podría decirse impersonal: *it might be said*

P. 100:26–29 Por resuelta . . . era imposible *However determined Manuela might have been to endure this change, whatever conception of this new life the imagination of the inexperienced girl might have had, it was impossible*

P. 101:16–17 Cuando el peligro fuese terrible, cuando hubiera necesidad, etc. fuese and hubiera are in the subjunctive because they are introduced by cuando and refer to a time posterior to that of the main verb suponía understood. They are imperfect because that verb is in a past tense.

P. 101:26 conocieran subjunctive in an adverbial clause with an indefinite antecedent.

P. 102:22 negaba The object is la understood.

P. 102:27 obtenerlas todavía mejores *obtaining still better ones.* las is the accusative of substitution; cf. en in French.

P. 103:4–5 les darían tentaciones *They would be tempted.* tentaciones is the subject of dar which here means to *overtake* or *seize.* The literal rendering therefore is: *temptations would overtake them.*

P. 104:29–30 estaba extrañando el cambio de vida *she could not adjust herself to the change in her life.*

P. 108:4   la ceca y la meca (a variant is de la ceca a la meca) *to and fro* or *hither and thither.* Meca *Mecca* was the center of Mohammedanism and ceca was the mosque of Cordova, second city of the Mohammedans at the time when the saying originated. The expression really meant *from Cordova to Mecca,* and later *from one place to another.*

P. 108:14   tan metidita en su casa *so closely kept at home* (the diminutive has intensifying force)

P. 109:20   ¿que me peque? depends on puede (que) of line 18. Manuela interrupts and finishes the sentence of the other woman.

P. 110:5   y a no ser una desgracia Supply por before desgracia and translate *and unless something happens to him.*

P. 111:5–7   Así es que . . . silencio Translate: *But the fact is that although she had determined,* etc. *. . . she was unable to do so and shut herself up in a silence,* etc. The usual meaning of *así es que* is *therefore* or *thus,* but the logical connection between this paragraph and the preceding one precludes that interpretation here. If Pero were substituted for Así es que at the beginning of the paragraph, así es que might properly replace y before se encerró on line 7.

P. 111:31–33   ¡Qué! ¿te espantas, soflamera? ¡Pues vaya que estás lucida! En lugar de que te alegraras, porque con ese dinero vamos a ser ricos. *What, are you frightened, squeamish girl? Well, upon my word, you are making a big mistake. You ought to be glad, not scared, because that money is going to make us rich.* Lucirse used figuratively means *to shine, show off to advantage,* etc.   It is often used ironically, as here.

P. 112:4–5   **para en casa de los diablos** *to the infernal regions*

P. 112:9   **sin darse por entendida de este reproche** *without showing that she had understood this reproach*

P. 122:25–26   **pero sí un poco más acá o un poco más allá** *but, indeed, a little to one side or the other*

P. 123:9–10   **ajusticiado por las partidas de Acordada en la época colonial;** Because bands of armed men kept attacking travellers in Mexico, at that time a colony of Spain, the viceroy established in 1552 the tribunal of **la Santa Hermandad** organized exclusively to deal with these bands.   Groups would patrol the highways in search of the bandits and would carry with them **cartas acordadas,** letters authorizing them to deal summarily with the highwaymen.   The name **acordada** became associated with the patrols of **la Santa Hermandad.**

P. 125:23   **por esa parte** *in that direction*

P. 125:24–25   **Pero este don Nicolás sí me tiene con inquietud.** *But this Nicholas does worry me.*

P. 125:27   **ya era hora** The imperfect is used here colloquially for the present.   Translate *it is already time*

P. 126:4   **por si viniere** *in case he may come*

P. 126:26   **arma blanca** cutting and thrusting arms such as the sword, the bayonet, the dagger, etc. like our "cold steel".   **Pelea al arma blanca** is *hand-to-hand conflict.*

P. 127:8   **tajos y reveses** the first is a stroke of the sword (or cavalry sabre) from right to left and the second is a stroke diagonally from left to right.

P. 129,
Chapter XXIV.
Benito Juárez was born to a poor laboring couple in San Pablo Guelatao in 1806. Up to the age of 12 he did not know how to read or write nor, probably, how to speak Spanish. Going to Oaxaca to get an education he came under the influence of a Franciscan monk who instructed him. At the age of 28 he became a lawyer and entering politics was elected governor of Oaxaca. Persecuted by the dictator Santa Anna, Juárez came to New Orleans in 1853. Under the constitution of 1857 he was elected Vice-President of the Republic of Mexico and succeeded to the presidency. He died of heart attack in 1872.

P. 130:8
Oliveros was the chief of rural police authorized to persecute the highwaymen and had the power to execute without court-trial, to avoid the miscarriage of justice in courts where bribes and intimidation had great effect.

P. 132:19–20
los petardos y las cámaras these are different types and sizes of firecrackers.

P. 133:8
la ley de Reforma was the law separating Church and State in Mexico, instituting civil marriage to weaken the power of the clergy. (See Introduction.)

Vocabulary

THE EDITORS have endeavored to include in this vocabulary all words which occur in the text. It has been taken for granted that students know that most nouns ending in -o are masculine in Spanish and most of those ending in -a, -dad, -ez, -ión, -tad, -tud, -umbre are feminine. Thus the gender of nouns with these endings has been indicated only in the cases of exceptions.

Idioms are explained under the distinctive word or words in the vocabulary and difficult passages will be found explained, and sometimes translated, in the notes.

Abbreviations

adj.	adjective	*Mex.*	Mexican
adv.	adverb	*n.*	noun
apoc.	apocopation	*neg.*	negative
art.	article	*p.*	page
coll.	collective	*part.*	participle
dim.	diminutive	*pl.*	plural
f.	feminine	*pp.*	pages
fig.	figurative	*pres.*	present
ind.	indicative	*pron.*	pronoun
inf.	infinitive	*trans.*	transitive
m.	masculine		

Vocabulary

a, to, at; in, on; by; of, from; with; for; before

abajo, down; **boca —,** face downward

abandonar, to abandon, leave, yield, surrender

abarcar, to embrace, take in

abastecido, -a, stocked

abatimiento, depression, low spirits

abatir, to crush, overcome

abismado, -a, dejected, depressed; plunged in despair

abismo, abyss

ablandar, to soften

abordar, to approach

aborrecer, to despise, hate

aborrecimiento, abhorrence, dislike

abra, opening, valley

abrasar, to burn

abrazar, to embrace

abrigar, to protect, cover; entertain, cherish

abrigo, wrap

abrir, to open

abrumado, -a, crushed, overwhelmed

abrupto, -a, abrupt, precipitous

absolutamente, absolutely; at all

absurdo, -a, absurd

abuelo, grandfather

abultar, enlarge, exaggerate

abundancia, abundance, profusion

abundante, abundant

aburrimiento, boredom; languor

aburrir, to annoy, vex; **estar aburrido de,** to have had enough of, be 'fed up' with

abusar, to abuse, mistreat

abuso, abuse

abyecto, -a, abject

acá, here; **— y acullá,** here and there; **para —,** over here; **por —,** on this side

acabar, to finish, end, be over; to stop; to harass, bother; **— con,** to destroy, get rid of; **— de,** to have just; to cease; **— por + inf.** to end by, do something finally, at last

academia, academy

acaecido, -a, happened; **lo —,** events

acalenturado, -a, feverish

Acapixtla, *town east of Yautepec* (see map)

acatamiento, esteem, respect

acceso, access, attack

accesorio, accessory

accidente, *m.* accident, mishap

acción, action, effort

acento, accent, tone

aceptar, to accept

acerca (de), about, concerning

acercarse, to approach, come near

acero, steel

acertar, to succeed; **no — a,** to be unable

acicate, *m.* spur

aclamación, acclaim, cheer

aclarar, to make clear; to clear up

acobardar, to intimidate, terrify

acometer, to attack

acomodado, -a, rich, wealthy

acomodar, to place; to enter (service) ; to take (position)

acompañar, to accompany

aconsejar, to advise

Acordada, rural police organization, Vigilantes (*originally letters of authority carried by posses pursuing bandits, see note to P. 123:9*)

acordarse (de), to remember

acorralar, to surround

acostarse, to go to bed

acostumbrar, to be accustomed to, be wont; — ᵒᶜ, to accustom oneself, get used to

acre, bitter, keen

actitud, attitude, position

acto, act; en el —, at once

actualmente, at the present time

acuartelarse, to be billeted, be quartered

acudir, to approach, to assist

acullá: acá y —, here and there

acusador, -a, accusing

acusar, to accuse

achatado, -a, flat

adalid, *m.* chief, leader

adelantarse, to advance

adelante, forward

adelfa, rosebay, oleander

ademán, *m.* gesture, look, attitude; en — de (*see notes to P. 62:25, P. 69:5, 15*)

además, besides

adentro, within

adhesión, liking, adherence

adiós, good-bye

adivinar, to guess

administración, administration

administrador, *m.* manager, overseer

admiración, admiration, amazement

admitir, to permit, consent to; to accept

adonde, adónde, where, whither

adoptar, to adopt

adoración, adoration

adornar, to adorn

adorno, adornment, ornament, show, accomplishment

adversario, -a, adversary

advertir, to observe, notice

afear, to make ugly

afecto, affection, love

afectuosamente, affectionately

afición, affection, inclination

aficionado, -a, fond of

afiliarse, to join

afirmar, to affirm, settle

aflautado, -a, reedy, sharp

aflicción, affliction

afligir, to afflict, grieve

aflojar, to loosen, yield; hand out

afluir, to flow

afortunadamente, fortunately

afortunado, -a, fortunate

afrenta, affront

afuera, outskirts, edge

agasajado, -a, treated kindly

agilidad, agility, grace

agitado, -a, agitated, excited

agolparse, to crowd

agonía, agony

agonizar, to be dying

agosto, August

agotar, to exhaust

agradabl~ ·· ᵤble

agradar, to please

agregar, to collect, add

agresión, aggression

agrupar, to cluster, group together

agua, water

aguacero, heavy shower, cloudburst

aguantar, to stand, endure

aguardar, to wait

aguardiente, *m.* liquor; — de caña, cane liquor

agudo, -a, sharp, high-pitched

aguileño, -a, aquiline, hawk-nosed

agujeta, lacing-thong (*with metal tip*)

aguzar, to prick up

¡ah!, oh!

ahí, there; **de — es,** for this reason, hence; **por —,** over there, yonder; that way

ahijado, -a, god-child

ahogar, to choke, smother

ahora, now; **— mismo,** this very moment; **por —,** for the present

ahorro, saving

aire, *m.* air; **darse —s de,** to make oneself out to be

ajusticiado, -a, executed

al, to the; (*with inf.*) on — ing

ala, brim; **dar —s,** to encourage

alabar, to praise

alargar, to extend, hold out; to protrude; to stretch

alarido, cry, scream

alarma, alarm

alarmarse, to be alarmed, become alarmed

alazán, *m.* sorrel

alba, dawn

alboroto, excitement

alborozado, -a, excited

alcalde, *m.* mayor

alcance, *m.* reach

alcanzar, to overtake

alcoba, bedroom

aldeano, -a, village, *adj.*

alegar, to allege, adduce, bring forward

alegrar, to cheer, gladden; **—se (de),** to be glad (of)

alegre, happy

alegremente, happily

alegría, joy, happiness

alejamiento, aversion

alejarse, to go away, withdraw; to become different *or* distinct from

alentar, to encourage

alero, eave; roof

alerta, *adv.:* **estar —,** to be on the alert

alga, alga

algazara, din

algo, something, anything; somewhat

alguien, someone

alguno, -a, algún, some, any, someone

alhaja, jewel

aliciente, *m.* inducement

aliento, courage

alimentación, food, diet

alimento, food

alistar, to get ready

alma, soul, heart; person; — bendita, *with neg.* not a soul, no one

almorzar, to lunch

alojado, -a, lodged, billeted

alojamiento, lodging, quarters

alrededores, *m. pl.* environs, vicinity

altanería, arrogance

altanero, -a, haughty, arrogant

altar, *m.* altar; **— mayor,** high altar

alterar, to break up, disturb

altivez, haughtiness

altivo, -a, haughty, proud

alto, -a, high, tall, lofty; unattainable; late

¡alto!, halt!; **hacer —,** to halt

altura, height

alumbrar, to light, illuminate, flash

alusión, allusion; hint

alzada, height

alzar, to raise; —se, rise
allá, there, thither; más —, farther, beyond
allí, there
amado, -a, lover, loved
amanecer, to dawn, be *or* reach (*a place*) at daybreak
amante, *m. f.* lover
amar, to love
amargamente, bitterly
amargo, -a, bitter
amargura, bitterness
amarillento, -a, sallow
amarillo, -a, yellow
amarrar, to fasten, tie
amate, *m.* fig-tree
ambicioso, -a, ambitious
ambiente, *m.* atmosphere, air
amenaza, threat
amenazador, -a, threatening
amenazar, to menace, threaten
americano, -a, American
amigo, -a, friend
Amilpas, *valley east of Yautepec* (see map)
amistad, friendship
amo, master
amodorrado, -a, drowsy, sleepy
amoldar, to mould, fashion
amor, *m.* love; *pl.* love-affair
amoroso, -a, loving
amparar, to protect
amparo, protection
amplio, -a, broad, wide
analizar, to analyze
anca, haunch
anciano, -a, old, old man *or* woman
ancho, -a, wide, broad
anchura, width, breadth
andar, to go, travel, march, walk
anegado, -a, drenched
ángel, *m.* angel
angosto, -a, narrow

angustia, anguish, distress, predicament
angustioso, -a, painful
anhelo, eagerness
anillo, ring
animal, *m.* animal
animar, to encourage, inspire, urge
ánimo, mind; courage
aniquilado, -a, overcome, wasted away
anoche, last night
anochecer, to become dark, night to fall
ansia, anxiety
ansiedad, anxiety
ante, before, in the presence of
anterior, previous, before
antes, before, beforehand, previously; — de, — que, — de que, before
anticipación, anticipation; con —, in advance, beforehand
anticipado, -a, anticipated
antier, (*colloquial*) *contraction of* anteayer, day before yesterday
antiguo, -a, old, former
Antonia, doña, *mother of Manuela and god-mother of Pilar*
anunciar, to announce, proclaim
añadir, to add
año, year; entrado en —s, along in years
apacible, placid, calm
apagar, to extinguish; lower; — se, to become extinguished, go out
aparecer, to appear
aparente, apparent, obvious
aparición, apparition
apariencia, appearance
apartar, to remove, push aside
aparte, aside; separately; individual; — de, aside from (*see note to P. 96:12*)

apasionado, -a, loving, in love with

apearse, to alight, dismount

apenas, scarcely, hardly; — ... cuando, as soon as

apercibido, -a, ready

aperlado, -a, pearl-colored

apersonarse (con), to appear, present oneself (before)

apetito, appetite

apoderarse (de), to seize, take possession (of)

apostar, to place, post

apoyar, to support; — se, to lean

apoyo, support, protection

apreciable, worthy, valuable

aprehender, to apprehend, catch

aprensión, apprehension, imagination

apresuradamente, hastily, hurriedly

apresurado, -a, quick, quickly, hurriedly

apresurarse, to hurry

apretar, to squeeze, press, tighten; — el paso, to press forward

aprieto, difficulty, fix

aprovechar, to make use of, profit by, take advantage of

aproximación, approach, nearness

apuesta, bet

apuro, danger

aquel, -lla, -llos, -llas, adj. that, those

aquél, -lla, -llos, -llas, aquello, pron. that, those; the former

aquí, here

arabesco, arabesque

araña, spider

arbitrariedad, arbitrary act

arbitrario, -a, arbitrary, domineering

árbol, m. tree

arboleda, grove, group of trees

arbolillo, (dim. of árbol) small tree

arbusto, shrub

arca, chest

arco, wreath

ardiente, burning, passionate

arenoso, -a, sandy

arete, m. earring

arma, arms, weapons; — blanca, cold steel (see note to P. 126: 26)

armadura, armor

armar, to arm

armonía, harmony

aroma, aroma, perfume

aromático, -a, fragrant

arraigar, to take root

arranque, m. attack

arrastrar, to drag

arrebatar, to snatch, carry away; change, overturn

arrebato, rapture, impetuousness

arreglar, to arrange, fix; to prepare

arreglo, arrangement, preparation

arrendar, to rent, lease

arreo, ornament; trapping, harness

arrepentido, -a, repentant, regretful

arrepentimiento, repentance

arrepentirse, to repent, regret

arriero, muleteer

arriesgado, -a, risky, dangerous

arriesgar, to risk; to expose to danger

arrimarse, to approach, draw near

arrobamiento, trance

arrogante, arrogant

arrojar, to throw, throw aside; emit; —se, to gush

arrojo, courage, fearlessness

arruinado, -a, ruined, dilapidated

arrullado, -a, lulled

arte, m. f. art

artesano, artisan, workman
articular, to articulate, make
artillería, artillery
arzón, m. saddle-tree
asaltante, m. assailant, highwayman
asaltar, to attack
asalto, assault, attack
ascender, to ascend
asegurar, to assure; to insure; to
safeguard
asesinar, to murder
asesino, murderer
así, thus, so, in that way; —
como, as well as; — es que, so,
therefore (see note to P. 111:
5ff.)
asiento, seat
asir, to seize, hold on to
asistir, to attend
asolar, to plunder, pillage, devas-
tate
asomarse, to appear at, look out
of, show
asombrado, -a, astonished,
amazed
aspecto, aspect, appearance
áspero, -a, rough
aspiración, aspiration, hope, desire
aspirar, to aspire, breathe
asunto, affair
asustar, to frighten
atacar, to attack
atar, to tie, fasten
atención, attention; pl. affairs,
business
atender, to take care of
atenerse (a), to expect, depend on
atentamente, attentively, carefully
atento, -a, attentive; bent
aterciopelado, -a, velvety
aterrado, -a, terrified, appalled
aterrador, -a, terrifying

atinar, to guess
atmósfera, atmosphere
atolondrado, -a, confused
atonía, weakness
atormentador, -a, tormenting
atractivo, -a, attractive
atraer, to attract, draw
atrancar, to bar (door)
atrás, back, behind
atravesado, -a, laid across
atravesar, to pierce, cross, pass
through
atreverse (a), to dare; — se con,
to meddle with, dare to show
authority with
atrevido, -a, daring
atribuir, to attribute
atropellar, to jostle, trample
aturdido, -a, bewildered
aturdimiento, bewilderment, stupidity
atusar, to smooth, twirl
audacia, daring
audaz, audacious
aumentar, to increase
aun, aún, even, yet, still
aunque, although, though
ausencia, absence
ausente, absent, away from
autoridad, authority; by metonymy
prefect (see note to P. 58:27ff.)
autorizar, to authorize
auxilio, aid; — de fuerza, reinforcements
avanzada, outpost, picket; de —,
on picket duty
avanzar, to advance; post (guard)
avasallador, -a, overwhelming
avecilla, (dim. of ave) little bird
avenirse, (con), to agree, be rec-
onciled (with)
aventura, adventure
aventurar, to venture, hazard
avergonzado, -a, ashamed

avergonzarse, to be ashamed
averiguar, to find out
aversión, aversion
avisar, to warn, inform, notify
aviso, warning, notice, information
avivar, to quicken
ayer, yesterday
ayudar, to aid, help
ayunar, to go without food, fast
ayuntamiento, town council; casa del —, town hall
azahar, m. orange-blossom, lemon-blossom
azorar, to terrify
azotado, -a, whipped, lashed
azucarero, -a, sugar, (adj.)
azul, blue

B

¡bah!, bah!
bailar, to dance
baile, m. dance
bajar, to descend, go down, climb down; to dismount; to lower, lift down, aid to dismount
bajo, -a, low
bajo, under, beneath
bala, bullet
bálago, straw, bundle of straw (used in making roofs)
baldosa, paving-stone, flag-stone
banano, banana-tree
banco, bench
banda, scarf
bandido, bandit, outlaw
bandolero, highwayman, robber
bandolón, m. mandola (mandolin)
bañarse, to bathe; get wet
baño, bath
baraja, pack of cards; jugar a la —, to play cards

barba, beard
barbaridad, act of violence, something dreadful
barranca, ravine
base, f. base, foundation
bastante, enough, plenty
bastar, to be enough, suffice
baúl, m. trunk; — forrado de cuero, leather trunk
baulito, (dim. of baúl) small trunk
beber, to drink
belleza, beauty
bellísimo, -a, very beautiful
bello, -a, beautiful, fair
bendecir, to bless
bendición, blessing
bendito, -a, blessed; alma —, with neg. not a soul, no one
benévolo, -a, kind, kindly
besar, to kiss
beso, kiss
bien, well, very well; quite; más —, rather; o —, or else; n. m. good; worth; well-being; hombre de —, honorable man; pl. goods, wealth
blanco, -a, white; ropa -a, linen; arma -a, cold steel (see note to P. 126:26)
blancura, whiteness, pallor
blando, -a, soft
blasfemar, to curse
blasfemia, blasphemy, oath
blusa, blouse
boca, mouth, lips; opening; — abajo, face downward
bocado, mouthful, bite
boda, wedding, marriage
bolsillo, pocketbook, pocket
bondad, goodness, kindness
bondadoso, -a, generous, kind
bonito, -a, beautiful, pretty, fine (see note to P. 60:25)

bordado, -a, embroidered; *n. m.* embroidery

bordar, to border, embroider

borde, *m.* margin, bank, edge

borrasca, storm, tempest

bosque, *m.* wood, forest

bosquecillo, (*dim. of* bosque) woods, small forest

bota, boot

botasilla, "boots and saddles", bugle call to saddle

botella, bottle

botín, *m.* booty, spoils

botón, *m.* button

bóveda, arch, vault, canopy, roof

bramido, roar

bravata: echar -s, to boast

bravío, -a, uncontrolled, wild, untamed

bravo, -a, brave

bravura, bravery

brazo, arm; *pl.* embrace; con los —s cruzados, helpless

breñas, brambles, thickets of brambles

breve, short, brief; *pl.* few

brida, bridle, reins; a toda —, at full speed

brillante, brilliant, shining; *n. m.* brilliant, diamond

brillar, to shine, gleam

brioso, -a, spirited

bronce, *m.* bronze; un carácter de —, an iron will (*see note to P. 70:11*)

brotar, to bud, grow, spring, gush

bruscamente, brusquely

brutal, brutal

bueno, -a, good, good-hearted, kind, fine; —s días, good day; —as noches, good night

bufanda, muffler

buho, owl

bujía, candle

bula, medal (*lit.* the lead seal on papal documents)

burla, mockery, jeering

burlar, to ridicule, take advantage of; —se (de), make fun of

burlón, -a, mocking

busca, search; en — de, in search of

buscar, to seek, hunt, look for

C

cabalgata, cavalcade

caballada, mounts, horses

caballerango, head groom, ostler

caballería, cavalry

caballeriza, staff of grooms; stable

caballo, horse; a —, on horseback

cabaña, cabin

cabañita, (*dim. of* cabaña) little cabin

cabecilla, (*dim. of* cabeza) chieftain

cabello, hair

caber, to be contained; no cabe duda, no doubt remains

cabeza, head; saddle horn, pommel; de —, headlong

cabida, room, space; dar — a, to admit

cabo, end; al —, after all; llevar a —, to carry out

cactus, *m.* cactus

cada, each, every; — vez más, more and more, increasingly

cadáver, *m.* body, corpse

cadenilla, (*dim. of* cadena) little chain

caer, to fall; — a, to fall on, attack; — de rodillas, to fall on one's knees; — en cama, to take to one's bed

café, *m.* coffee

caja, box; bed (*of river*)

cajita, (*dim. of* caja) small box

cajón: ser de —, to be a matter of course, go without saying

calamitoso, -a, calamitous, disastrous

calavera, skull

Calderón, *sugar plantation near Yautepec* (see map)

caléndula, marigold

calentura, fever

calidad, quality; en — de, in the capacity of, as

caliente, warm, hot; tierra —, hot country (*region of low altitude in contrast to the mountainous country, see note to* P. 1:1)

calma, calm

calmar, to calm, lull

calor, *m.* heat

calosfrío, (*more commonly* escalofrío) chill, shiver

calzada, highway

calzoneras, trousers (*which open on the outside seams*)

callar, to be silent, keep still

calle, *f.* street

callejón, *m.* lane, alley

callejuela, small street, lane

cama, bed

cámara, large fire-cracker (*see note to* P. 132:19)

cambiar, to change

cambio, change; en —, on the other hand

camilla, litter, stretcher

caminante, traveller

caminar, to go, ride

caminata, long walk, journey

camino, way, road, path; journey; method; — real, highway

camisa, shirt

campamento, camp

campana, bell

campanario, belfry, bell-tower

campaña, campaign; catre de —, field-bed

campesino, peasant, farmer

campo, field, country, camp

canal, *m.* canal, irrigation ditch

canana, cartridge belt

canción, song

cansado, -a, tired

cantar, to sing

cantidad, quantity, sum

canto, song, cry, hoot

caña, sugar-cane

cañada, dale, glen, small valley

capa, cape; covering

capataz, *m.* leader, foreman

capaz, capable

capilla, chapel

capital, *m.* fortune

capitán, *m.* captain, leader

capricho, caprice, whim

caprichoso, -a, capricious, fanciful

cara, face

caracolear, to caracole, cavort

carácter, *m.* character, nature

característico, -a, characteristic

¡caramba!, the deuce!

carcajada, boisterous laughter

cárcel, *f.* prison

carecer, to lack

carga, load, burden

cargado, -a, laden, covered

cargamento, load, shipment

cargar, to load; to carry; to pick up

caricia, caress

cariño, affection, fondness

cariñosamente, affectionately

cariñoso, -a, affectionate

carita, (*dim. of* cara) small face

caritativo, -a, charitable

carmen, *m.* country place

caro, -a, dear

carrera, race; a toda —, at full
speed

carretera, highway

carretero: camino —, wagon
road

carta, letter

cartilla: leer —, to give one a
lecture, lay down the law (see
note to P. 65:25ff.)

cartuchera, cartridge pouch

cartucho, cartridge

casa, house, home; en — de, in
the home of

casado, -a, married

casamiento, marriage

casarse (con), to marry, get married

Casasano, plantation about nine
miles southeast of Yautepec (see
map)

cascada, cascade, waterfall; down-
pour

caserío, cluster of houses

casi, almost, nearly, quite

casita, (dim. of casa) little house

caso, case; hacer — (de or a),
to pay attention (to)

casta, caste, race

castigo, punishment

casualidad, chance

casucha, hut

catadura, face, countenance

catarata, cataract; abrir el cielo
su —, to rain heavily, pour

catástrofe, f. catastrophe

catre, m. cot; — de campaña,
field-bed

catrín, -a, (Mex.) fop, dandy;
elegant, fastidious

cauce, m. bed (of a river)

causa, cause, lawsuit, trial; a
causa de, because of

causar, to cause

cautelosamente, cautiously

cautivar, to captivate

cavar, to dig

cavilación, evil thought, fault-
finding

cazuela, earthen sauce-pan

ceca: correr la — y la meca,
to go from place to place (see
note to P. 108:4)

ceguedad, blindness

ceja, eye-brow

cejar, to yield, give way

celebrar, to celebrate, hold

celos, m. pl. jealousy

celoso, -a, jealous

cementerio, cemetery

cena, supper

cenagoso, -a, muddy, marshy

ceniza, ashes

centelleante, flashing

centenar, m. hundred

centinela, sentry; — de vista,
prisoner's guard

central, central

centro, centre

ceñido, -a, girded

ceño, frown

ceñudo, -a, frowning

cerca, near, close; — de, near;
de —, from near, nearby, close
at hand; n. f. hedge, wall, en-
closure

cercado, fence, garden wall; past
part. of cercar, to be surrounded

cercanía, vicinity, neighborhood

cercano, -a, nearby, neighboring

cerciorarse, to make sure, find out

cerebral, cerebral

cerrar, to close, shut; — la
noche, night to fall

cerro, hill

cesar, to cease, stop

cesto, basket

ciego, -a, blind

cielo, heaven, sky

cien, hundred
ciénaga, marsh, mire
cieno, mud, mire
cierto, -a, true, certain; a certain;
  lo — es, it is true
cinco, five
cincuenta, fifty
cincuentón, -a, fifty years old
cincho, cinch
cínico, -a, cynical, shameless, in-
  decent
cinta, strip, band
cinto, belt, strap
cintura, belt, waist
cinturón, m. belt
circular, to circulate, pass
círculo, circle
circunstancia, circumstance
circunstante, one present, on-
  looker
cirio, candle
cita, date, appointment
citar, to cite
ciudad, city
ciudadano, -a, citizen
civil, civil
clarín, m. bugle
claro, -a, clear; light; natural;
  n. m. opening
clase, f. class, kind
clavar, to nail, fix, drive, strike
cobarde, coward
cobardía, cowardice
cobrar, to collect, take; to gain
cocer, to cook
cocina, kitchen; — de humo,
  stove for rapid cooking
Cocoyoc, sugar plantation near
  Yautepec (see map)
cocuyo, glowworm, firefly
codicia, covetousness, greed
coger, to catch, seize, take
colchón, m. mattress
colega, m. colleague

cólera, anger
cólerico, -a, irritable, testy
colgar, to hang
colina, hill
colmar, to overwhelm
colmillo, eye-tooth
colocar, to place; — se, to obtain
  employment; — se entre filas,
  to take his place among the
  soldiers
colonial, colonial
color, m. color
coloreado, -a, red; bien —, red,
  ruddy
colosal, colossal, huge
columna, column
comadre, f. god-mother; good
  friend, companion
comandante, m. commander
comarca, territory, district
combate, m. combat, fight
combatir, to fight, wage
comenzar, to commence, begin
comer, eat
comerciante, m. merchant
cometer, to commit
comida, food, fare
comisión, trust, commission, er-
  rand
comitiva, company, group
como, as, like, as if; as it were;
  — un, a sort of; así —, as well
  as; — si, as if; — de, about;
  tanto . . . como . . . , both
  . . . and . . .
¿cómo?, how?; ¡cómo no!, of
  course!; ¡— ha de ser!, (see
  note to P. 39:30)
comodidad, convenience, ease
compadecido, -a, sympathetic,
  pitying
compañero, -a, companion
compañía, company
comparación, comparison

comparar, to compare
compartir, to share
compasión, compassion, pity
compensación, compensation
complacer, to please, delight
completamente, completely
complicar, to complicate; to mix; to involve
cómplice, *m. f.* accomplice
complicidad, complicity
componer, to arrange; to pack; — se, to fix oneself up
comprar, to buy
comprender, to understand
comprensible, comprehensible, understandable
comprometer, to compromise
compuesto, -a, composed, ready
común, common
comunicación, communication
comunicar, to communicate, tell, give (orders)
con, with, by; — tal de, provided; — ser ellas tantas, (*see note to P. 70:11*)
concebir, to conceive
conceder, to give, bestow
concentrar, to concentrate
concepto, concept, idea; en ese —, with this idea
concertado, -a, agreed, planned
conciencia, consciousness, knowledge; conscience
concluir (con), to end, conclude
concurrir, to gather
concurso, assemblage, gathering
condenar, to condemn, sentence
condición, condition
conducir, to conduct, lead
conducta, conduct, actions
conducto: por — de, by, through
conferenciar, to consult
confesar, to confess
confiado, -a, confident, trusting

confianza, confidence, trust, faith; de —, trustworthy, to be relied upon
confiar, to entrust, trust
confidente, *m. f.* confidant, intimate
confirmar, to confirm, strengthen
conformar, to conform, arrange; — se, to conform, resign oneself
confundir, to confuse, mingle
confusamente, confusedly, in confusion
confusión, confusion
confuso, -a, confused, confounded, perplexed, embarrassed
congoja, anguish
conjetura, conjecture, guess
conjunto, group, combination, ensemble; entirety
conmigo, with me
conmoción, disturbance
conmover, to move, affect
conocedor, -a (de), familiar (with)
conocer, to know, be acquainted with; meet; recognize; —se, to be evident; dar a —, to make known
conocido, -a, known; *n.* acquaintance
conque, then, so then, accordingly; why
consagrar, to consecrate, devote
consecuencia, consequence
conseguir, to accomplish, succeed in
consejo, counsel, advise
consentir (en), to consent (to), allow; to indulge anyone in
conservador, -a, conservative
conservar, to retain, keep
consideración, regard; consideration, thought

considerar, to consider

consignar, to turn over

consistir (en), to consist (of)

consolador, -a, consoling

consolar, to console

consolidarse, to grow strong

constante, continual

constantemente, constantly

consternado, -a, horror struck, in consternation

constituir, to constitute, make

consuelo, consolation, comfort

consumado, -a, finished, expert

consumar, to finish

contar, to tell, relate; — con, to count on, rely on; to possess, have

contemplación, contemplation

contemplar, to see, look at, contemplate

contener, to contain, hold; control, restrain, rein in

contentarse (con), to be content (with)

contento, -a, contented, pleased, happy

contestar, to answer

contigo, with you

contiguo, -a, next, adjoining, nearby

continuamente, continually

continuar, to continue

contra, against

contradecir, to contradict

contradictorio, -a, contradictory

contraído, -a, contracted

contrariar, to vex, annoy

contrario, -a, contrary; al —, on the contrary; por el —, on the other hand

contribución, contribution, tribute

convencer, to convince

convencional, conventional

conveniente, convenient, proper, fitting

convenir, to be suitable, suit

conversación, conversation

conversar, to talk, converse

convertir, to convert, change, transform; —se en, to become

convoy, m. convoy

convulso, -a, convulsed

conyugal, conjugal, marriage (as adj.)

cooperación, coöperation, aid

copa, glass, cup; drink; top (of a tree); foliage

copla, stanza, couplet

coposo, -a, luxuriant, leafy

corazón, m. heart; affection; estar malo del —, to have heart trouble (see note to P. 7:4); salirse el — del pecho, to have one's heart in one's mouth

coro, chorus

corona, crown, wreath

corpulento, -a, stout, thick

correr, to run, go

corresponder, to reciprocate, respond to

correspondiente, suitable, proper

corromper, to corrupt

cortar, to cut; — a peine, to cut close

corte, m. cut, shape; dress length

cortejo, accompaniment, escort

cortina, curtain, covering

corto, -a, short, narrow

cosa, thing; a — de, about; no (verb) otra —, only

coser, to sew

costa, cost

costado, side

costal, m. sack, bag

costumbre, habit, custom; de —, customary

costura, sewing

coyote, m. coyote

cráneo, skull

crápula, debauchery

crecer, to increase, rise, swell

creciente, *f.* flood, freshet, swollen state

crecimiento, increase, overflow, rising

creer, to believe, think

crepuscular: luz —, twilight

creyente, believer

criado, -a, servant

criar, to bring up, raise

criatura, creature; young girl

crimen, *m.* crime

criminal, *m.* criminal

criolla, Creole, girl born in America of Spanish parents

crisis, *f.* crisis

cristalino, -a, transparent, glassy

cruel, cruel

crueldad, cruelty

cruzado, -a, crossed; — con, exchanged with; con los brazos —s, helpless

cruzar, to cross, pass; to go back and forth; to exchange

cuadrar, to suit

cuadrilla, band

cuadro, picture, scene

cuajado, -a (de), overloaded (with)

cual, *see* el (la, lo) cual

¿cuál?, what? which?

cualquiera, cualquier, any, anyone, whoever; don —, Mr. Whatsyourname; — que sea, whatever may be

¡cuán!, *apoc. of* cuánto, how!

cuando, when; de — en —, de vez en —, from time to time

¿cuándo?, when?

cuantioso, -a, abundant

cuanto, -a, as much as; all; unos —s, a few; en — a, as for; tanto más . . . — que, all the more . . . because

¿cuánto, -a?, how much?

cuarenta, forty

cuartel, *m.* barracks, quarters; — general, headquarters

cuarto, room

cuatro, four

Cuautla, *town in the State of Morelos, southeast of Cuernavaca* (see map)

cubrir, to cover, hide; to save; — se con, to wear

cuclillas: sentado en —, squatting

cuchillo, knife

cuello, neck, throat

cuenta, account; dar — de, to give account of; darse — de, to pay attention to, notice, realize; tener en —, to pay heed to, take into account; por su —, *see* gasto

cuento, story, tale

Cuernavaca, *city south of Mexico City* (see map)

cuero, leather, hide

cuerpecito, (*dim. of* cuerpo)

cuerpo, body; — de guardia, guard room

cuesta, slope

cuidado, care, worry, attention; anxiety; cause for worry; cared for

cuidadosamente, carefully

cuidar, to care for; — de, to take care, be careful of; — se de, to heed, mind; to be careful to

culpa, fault, blame

cultivar, to cultivate, make, form

culto, worship

culto, -a, cultured

cumplir, to fulfill, carry out; to keep one's word; cumplido, -a, full; courteous

cura, *m.* priest, curate

curato, parish-house
curiosidad, curiosity
curioso, -a, curious
curso, course
curva, curve, bend
cuyo, -a, whose; which

CH

chacal, m. jackal
Chagollán, Martín Sánchez, see under Sánchez
Chalco, town northeast of Yautepec
chaleco, vest
chancero, -a, joking, joker
chanza, joke, jest
chanzoneta, joke, laughter
chaparreras, chaps
chapeta, small plate, ornament
chapetón, m. ornament, plate
chaqueta, jacket, coat
chaquetón, m. jacket
charanga, brass band
charco, pool, puddle
charol, m. patent leather
charro, -a, heavily ornamented, showy, flashy; n. m. cowboy, horseman (see note to P. 20:1)
chatito, -a, (dim. of chato)
chato, -a, flat-nosed, slang for muchacho, -a
chimenea, chimney
chisme, m. gossip
chispa, spark
chivo, goat, kid
chocar, collide; surprise; annoy, irritate
chorro, stream, fall (of water)
chotis, m. schottische

D

dale, expression of displeasure, — con el yerno, forget the son-in-law

dar, to give; strike; to seize, overtake (see note to P. 103:4); — a, to open on, face; — a conocer, to make known; — alas, to encourage; — cabida a, to admit; — cuenta de, to give account of; — de lleno, to shine full; — en, to persist in; en qué pensar, to worry; — gracias, to thank; — la cara, to show one's face; — oídos, to listen; — parte, to inform, notify, report; — pasos, to take steps; — tormento, to torture; — tregua a, to cease; — vuelta, to go around, turn; — una vuelta, to take a turn; lo mismo me da, it's all the same to me; — se, to grow; — se aires, to make oneself out to be; — se cuenta de, to pay attention to, notice, realize; — se por, to consider oneself (see note to P. 112:9); — se por vencido, to give up; — se priesa, to hurry, make haste
de, of, from; in, with, by; than; as
debajo (de), under, beneath
deber, to owe, ought, should, must, be due; n. m. duty
debido, -a, due
débil, weak
debilidad, weakness
débilmente, weakly, dimly
decididamente, decidedly
decidir, to decide, urge, persuade
decir, to say, speak, tell; — por, to allude to
decisión, decision
decisivo, -a, decisive
declaración, declaration (of love)
declarar, to declare, state
declinar, to decline, set (of the sun)

decoro, respect, reverence
dedo, finger
defender, to defend
defensa, defense, protection
defensivo, -a, defensive
deferencia, deference
degradación, degradation
degradante, degrading
degradar, to degrade
dejar, to leave, allow, let alone;
— de, to stop, cease; to fail; —
se, to be allowed; to relax vigilance, be off guard
del, of the, from the, *etc.*
delante, in front, before
delgado, -a, thin
deliberar, to deliberate
delicadeza, delicacy, sensitiveness,
susceptibility
delicado, -a, delicate, frail; slender
delicia, delight, comfort
delirio, delirium
delito, offense, wrong
demacración, emaciation
demás, remaining; lo —, los —,
the rest; por lo —, aside from
this, moreover
demasiado, too, very much, well
densamente, densely; — pálido,
deathly pale
densísimo, -a, very dense, very
thick
denso, -a, thick, dense
dentadura, set of teeth
dentellado, -a, tooth-like
dentro (de), within
denunciar, to point to, show
departamento, section
depender, to depend
dependiente, *m.* employee, hand,
workman
depredación, depredation
derecho, -a, right; *n. m.* right

(*see note to P. 58:27ff.*)
derramar, to shed
derrota, defeat, overthrow
derrotada, defeat
derrotar, to defeat
derruído, -a, demolished
derrumbado, -a, tumbled down
desabrimiento, rudeness, asperity
desagradable, disagreeable
desahogo, relief, alleviation, vent
(*to feelings*) diversion
desairado, -a, slighted; inelegant
desaire, *m.* rebuff, slight
desaliento, dejection, discourage-
ment
desamparado, -a, unprotected,
abandoned
desamparo, lack of protection,
abandonment, forlornness
desaparecer, to disappear
desapego, coolness, indifference
desarmado, -a, unarmed
desarraigado, -a, uprooted
desatar, to untie, break loose; to
begin operations
descalzo, -a, bare-footed
descansar, to rest, stop
descanso, rest, peace
descender, to descend, come
down, go down
descolorido, -a, pale, pallid
descollar, to stand highest, be
prominent
desconfiado, -a, distrustful
desconocido, -a, unknown
descontentar, to be discontented
describir, to describe
descripción, description
descubrir, to discover, catch sight
of; poner al descubierto, to
uncover
descuidado, -a, carefree, unaware
descuidar, to neglect; —se, to be
careless

descuido, negligence, moment of carelessness
desde, since, from; — luego, at once; of course; — que, since
desdén, m. disdain, contempt
desdeñar, to disdain, reject
desdeñoso, -a, disdainful
desdicha, misfortune
desdichado, -a, unfortunate
desear, to wish, desire
desembocar, to empty into, flow into; to come down to
desembridado, -a, unbridled
desempeñar, to carry out
desencajado, -a, haggard
desenfrenado, -a, unbridled
desenredar, to loose, untie
deseo, desire
deseoso, -a, desirous
desesperación, desperation, despair
desesperadamente, desperately
desesperado, -a, desperate
desesperar, to despair
desfallecer, to grow weak, languish, become faint
desfallecido, -a, weak, fainting
desfallecimiento, weakness; dejection
desfavorable, unfavorable
desfilar, to file, march in file, pass in review
desfile, m. filing, marching in review
desgajarse, to be shorn of branches
desgarrado, -a, torn
desgracia, misfortune; por —, unfortunately
desgraciado, -a, unfortunate
desgreñado, -a, disheveled
deshecho, -a, disordered, unmade
desierto, -a, deserted
deslizar, to slip

deslumbrar, to dazzle
desmán, m. trouble
desmayarse, to faint
desmayo, faint, faintness
desmelenado, -a, disheveled
desmentido, -a, disproved
desnudo, -a, bare, naked
desobedecer, to disobey
desorden, m. disorder, confusion
desordenado, -a, disordered, disarranged, disorderly, bad
desorganización, disorganization
desorganizado, -a, disorganized
despachar, to dispatch, send out
despavorido, -a, terrified, aghast
despedirse, to take leave of
despego, aversion, coldness
despejado, -a, cleared, freed
despertar, to awaken; —se, to wake up
desplegar, to display
desplomado, -a, downcast, dejected; caer —, to collapse
despreciable, despicable
despreciado, -a, disdained, despised, ignored
despreciativo, -a, contemptuous
desprecio, contempt
desprender, to unfasten, loose; — se, to set out, come out
desprestigiar, to bring into disrepute
después, afterward, later; — de, after
destacar, to be projected, stand out
destinar, to destine, allot, assign
destino, destiny, lot
destruir, to destroy
desunido, -a, separated
desvanecer, to fade away, vanish
desvanecimiento, dizziness
desvelarse, to go without sleep
desventura, misfortune

desviación, turning aside
desviar, to turn off
detallado, -a, detailed, in detail
detalle, *m.* detail
detención, stop, delay
detener, to stop
determinar, to determine
detrás (de), behind
devoción, devotion, prayers
devolver, to return, give back
devorar, to devour
día, *m.* day; buenos —s, good morning; de —, by day; todos los —s, every day; — a —, day by day; — con —, day after day; de — en —, from day to day
diablo, devil (*see note to P. 112:4*)
diálogo, dialogue, conversation
diamante, *m.* diamond
diametralmente, diametrically
diariamente, daily
diario, -a, daily
dibujar, to sketch, form, show
diciembre, *m.* December
dicha, happiness
dicho, expression, remark (*see note to P. 96:12*)
dichosamente, fortunately
dichoso, -a, fortune, lucky, happy
diente, *m.* tooth
diestro, -a, clever, skillful
diez, ten
diez y ocho, eighteen
diferenciar, to distinguish
diferente, different
difícil, difficult, hard; unlikely
dificultad, difficulty
dignidad, dignity, state
digno, -a, worthy
dilatarse, to stretch out
diligencia, stage-coach
dineral, *m.* fortune

dinerito, small sum of money
dinero, money
dintel, *m.* lintel, doorway
Dios, *m.* God
dirección, direction; con — a, in the direction of
directo, -a, direct
dirigir, to direct, address, send; — se a, to direct oneself, address; to go
disciplina, discipline
discreción: a —, at will
disculpar, to excuse
discurrir, to discuss, think about; to roam, walk
disfrazado, -a, disguise
disgustar, to displease, offend
disgusto, disappointment, contempt, disdain, sorrow
disimulado, -a: hacerse el (la) —, to feign, pretend, hide one's feelings
disimular, to dissemble, conceal, hide one's feelings
disimulo, pretending, pretence; concealment; cunning, craftiness (*see note to P. 27:17*)
disparar, to shoot, fire
disparatado, -a, absurd, foolish
dispensar, to excuse, pardon
dispersar, to disperse, scatter
disperso, -a, scattered
disponer, to dispose, arrange, prepare, make ready; to use; to get; to command, draw (from)
dispuesto, -a, *past part. of* disponer, to be ready
distancia, distance
distante, distant
distinción, distinction, choice
distinguir, to distinguish, see clearly; to tell apart; — se, to distinguish oneself
distintamente, distinctly, clearly

distinto, -a, distinct

distraer, to distract; to spare, divert; to interest, amuse

distraído, -a, inattentive, heedless

distrito, district, region

diversión, amusement

diverso, -a, different, unlike, diverse, various

divertido, -a, diverted, diverting, amusing, enjoyable

divertirse, to amuse oneself, have a good time

dividir, to divide, separate

divino, -a, divine

divisar, to see, make out, catch sight of

doblado, -a, bent over

doble, double

doler, to hurt, ache

dolor, *m.* sorrow, pain, grief

dolorosamente, mournfully

doloroso, -a, sad, painful

doméstico, -a, domestic, home

dominar, to dominate; to overcome; to overlook

domingo, Sunday; **del —,** used on Sunday

dominguero, -a, Sunday (*adj.*)

dominio, rule, power; dominion, territory

dona, (*antiquated*) woman; bridegroom's gift to his bride

doncella, unmarried girl

donde, where; **por — quiera,** everywhere

¿dónde?, where?

doña, Mrs., miss (*used only before Christian name; usually not translated into English*)

dormido, -a, asleep

dormir, to sleep; **—se,** to fall asleep

dos, two

doscientos, -as, two hundred

dragón, *m.* dragoon

drama, *m.* drama

dril, *m.* duck-cloth

duda, doubt

dudar, to doubt

dueño, -a (de), in control of, master (mistress) of; *n.* owner

dulce, soft, sweet

dulcemente, gently

durable, durable, lasting

durante, during

durar, to last; to remain

dureza, hardness, cruelty

duro, -a, hard, harsh, cruel

E

e, and (*used before* i *or* hi *but not before* hie)

ebrio, -a, intoxicated, drunken

económico, -a, economical, thrifty

echar, to throw, cast, strike, put; **— bravatas,** to boast; **— de ver,** to notice, observe; **— pie,** to set foot; **— raíces,** to take root; **— se a,** to begin to

edad, age; **de —,** elderly

edén, *m.* Eden, paradise

edificio, building

educación, education

efectivamente, truly, really

efecto, effect; **en —,** indeed, in fact

efectuar, to effect, make; **— se,** to take place

ejemplar, *m.* example

ejemplo, example, accomplishment

ejercer, to exercise, carry out, commit

ejército, army

el, the; **— que, — cual,** which, who; **— que,** he who, the one who; the one which él, he; it; — (*after a prep.*) him; it

elegante, elegant, stylish

elegido, -a, chosen

elemento, element; means

elevar, to raise

elogiar, to eulogize, praise

ella, she; it; — (*after a prep.*) her; it

ellas, they; — (*after a prep.*) them

ello, it

ellos, they; — (*after a prep.*) them

embalsamar, to perfume

embargar, to fill, seize, overcome

embargo: sin —, nevertheless

embellecido, -a, embellished, ennobled

emboscada, ambush

emboscarse, to take ambush, lie in ambush

embozado, -a, muffled, with face concealed

embozo, muffler, coat collar

embriagador, -a, intoxicating

embriagarse, to get drunk, become intoxicated

embriaguez, intoxication, drunkenness

embrollo, imbroglio, trouble

embustero, -a, liar, cheat

emisario, spy, emissary, agent

emoción, emotion

empapar, to soak, drench

empeñar, to pawn; to engage; — se en, to insist, determine

empeño, determination; bother

empezar (a), to begin

empinado, -a, steep, high

emplear, to employ, spend

emprender, to undertake, start upon

empresa, enterprise, undertaking

empujar, to push, shove

empuñadura, hilt, handle; stock, butt

en, in, on

enagua, skirt

enamorado, -a, in love

encajado, -a, thrust, squeezed, sunk

encajarse, to crowd in, push through, find its way (*of river*)

encaminarse, to walk

encantador, -a, enchanting, charming

encararse (con), to face

encargado, -a (de), in charge of; *n.* person in charge

encargar, to charge, request, order; — se (de), to take charge of

encargo, commission, request

encarnado, -a, red, blushing, reddened

encenderse, to burn

encendido, -a, red, blushing

encerrar, to shut, lock; to shut up; to embrace, enclose; to contain; to hide

encierro, confinement, seclusion

encima, above

encogerse (de hombros), to shrug (shoulders)

encolerizado, -a, angered

encomiar, to praise

encontrar, to find, meet; — se, to be; — se con, to meet

encrucijada, cross-roads

encuentro, meeting; shoulder (*of quadrupeds*); a su —, to meet him

encumbrar, to ascend

enemigo, enemy

enemistad, enmity, hatred

energía, energy

enérgico, -a, energetic

enfadado, -a, angry

enfadarse, to become angry, fret
enfado, anger, vexation
enfermar, to make ill; to fall ill; to become diseased
enfermedad, illness, sickness
enfermizo, -a, sickly, delicate, frail
enfermo, -a, sick, ill
enfrenar, to bridle
enfrente, in front, facing
enfriarse, to grow cold
engañar, to deceive; — **se,** to be mistaken
engendrar, to create, engender
enhiesto, -a, erect
enlace, *m.* wedding, marriage
enlazar, to join, unite, hold, encircle
enloquecerse, to become crazed
enloquecido, -a, crazed
ennoblecer, to ennoble
enojarse, to be angry, become angry
enorme, enormous, large
enredar, to entwine
enronquecido, -a, hoarse
enroscar, to twist, coil
ensanchar, to widen, broaden
ensayo, attempt, trial effort
enseñar, to teach, show, train
ensillar, to saddle
entablar, to strike up, enter into
entender, to understand; **no darse por entendido,** to pretend not to understand (*see note to P. 112:9*)
enteramente, entirely, absolutely
entero, -a, entire, complete, whole
enterrar, to bury
entierro, burial, funeral
entonar, to sing
entonces, then, at that time
entrar, to enter; — **en años,** to

advance in years; — **la noche,** night to fall
entre, between, among, in the midst of
entrecortado, -a, broken
entregar, to surrender, hand over, give; — **se,** to surrender oneself, devote oneself
entremezclado, -a, intermingled
entretanto, meanwhile
entretener, to entertain, occupy; to ease, allay; — **se,** to be busy, occupied
entrevista, meeting, rendezvous
entristecer, to sadden, trouble
entusiasmo, enthusiasm
enviar, to send, throw
envidia, envy
envolver, to wrap (up); to entangle
epidemia, epidemic
epíteto, name, term, epithet
época, time, period
equilibrado, -a, balanced, counterbalanced
equipar, to equip
equipo, equipment
equitación, horsemanship
erguido, -a, straight, erect; **lo —,** straightness, erect carriage
erizado, -a, standing on end
error, *m.* error, mistake
esbelto, -a, tall, shapely
escabroso, -a, rugged, craggy
escalera, stairway, stairs
escalinata, stairway, stairs
escandalizarse, to be scandalized, be shocked
escándalo, scandal, outrage
escapar, to escape; — **se,** to run away
escapatoria, escape, flight
escape: a —, at full speed
escarbar, to dig

escarmentado, -a, taught a lesson, punished

escarmiento, warning

escaso, -a, scanty, thin

escena, scene

esclavo, -a, slave

esclusivamente, exclusively

escoger, to choose, select

escoltar, to escort

escombro, rubbish, débris

esconder, to hide

escondite, m. hiding-place

escondrijo, hiding-place

escopeta, shotgun

escribir, to write

escrutador, -a, scrutinizing

escuadrón, m. squadron, troop

escucha, m. sentinel, scout

escuchar, to listen; to hear; to overhear

escuela, school

escurrir, to slink

ese, -a, -os, -as, that, those

ése, -a, -os, -as, eso, pron. that one, those

esfuerzo, effort; courage

esmaltado, -a, enamelled

esmerarse, to do one's best, take pains to

esmero, care

espacio, space, interval

espada, sword

espalda, shoulder; a la —, behind

espantajo, scarecrow, frightful creature

espantar, to frighten

espanto, fright, terror, dread

espantoso, -a, frightful

español, -a, Spanish; Spaniard

especialmente, specially

especie, f. kind, sort

espectáculo, spectacle, sight

espera, expectation

esperanza, hope

esperar, to hope; to wait, await, expect

espesísimo, -a, very thick

espeso, -a, thick

espía, m. f. spy

espina, thorn

espíritu, m. spirit

esplendoroso, -a, splendid, radiant

espolear, to spur

espontáneo, -a, spontaneous

esposa, wife

esposo, husband

espuela, spur

establecer, to establish

estado, state, condition, state of affairs; tomar —, to marry

estallar, to break out, burst forth; hizo —, gave vent to

estampa, print

estancia, stay

estar, to be; — en la mano (de uno), to be within one's power; — lucido (ironical, see note to P. 111:31) to make a big mistake; — se + adj. to stay (see note to P. 24:17)

estatura, stature

este, -a, -os, -as, this, these

éste, -a, -os, -as, esto pron. this one, these; the latter

estera, mat

estéril, fruitless

estérilmente, fruitlessly, uselessly

estilo, custom, manner

estimación, esteem, respect

estimar, to esteem, respect, honor

estío, summer

estirarse, to stretch

estorbar, to bother; to stop, prevent; to be in the way; to obstruct; —se, to crowd each other

estrago, ravage, havoc

estrechar, to press, squeeze

estrecho, -a, narrow

estrella, star

estrellarse contra, to dash to pieces against, struggle vainly against

estremecerse, to tremble, shudder

estremecimiento, t r e m b l i n g, shudder

estribo, stirrup; mozo de —, groom

estupefacto, -a, stupefied, surprised

eterno, -a, eternal

evidente, evident, obvious

evitar, to avoid, prevent

exacerbado, -a, embittered

exacto, -a, exact, accurate

exageración, exaggeration

exagerado, -a, exaggerated

exaltado, -a, hot-head

examen, *m.* examination, survey

examinar, to examine, investigate

excelente, excellent

exceso, excess

exclamación, exclamation

exclamar, to exclaim

excursión, trip, excursion

execrable, execrable, accursed

exhalar, to breathe out, emit; — el último suspiro, to breathe one's last

exigir, to demand

existencia, existence, life

existir, to exist

expansión, expression

expedición, expedition

experiencia, experience

experimentar, to experience

explanada, esplanade, flat place

explicar, to explain

explosión, outburst

exponer, to expose

expresar, to express

expresión, expression

expresivo, -a, expressive

exquisito, -a, exquisite; keen

éxtasis, *m.* ecstasy

extender, to extend; to grant, give; to spread; to draw up (*a document*)

extenso, -a, extensive

exterior, exterior

extinción, extinction, extermination

extinguir, to extinguish

extraer, to draw out, remove

extranjero, -a, foreign; *n.* foreigner

extrañar, to find strange; to be surprised (*see note to P. 104: 29*)

extrañeza, strangeness; wonder, surprise

extraño, -a, strange; unusual; heterogeneous

extraordinario, -a, remarkable; *n. m.* special messenger

extraviado, -a, misguided

extraviarse, to go astray

extravío, misguided act, mistake

extremo, -a, extreme; *n. m.* end, extreme

exuberancia, profusion

F

fábrica, building; factory, shop, mill

fabuloso, -a, fabulous, incredible

facción, feature

faccioso, rebel

facilidad, ease, quickness

facilitar, to supply, furnish

fácilmente, easily

facineroso, -a, *adj.* and *n.* criminal

facultad, power, authority; *pl.* means

faena, task, work, chore

faja, strip, zone; brim

falda, brim (*of a hat*)

falso, -a, false

falta, lack; a — de, in the absence of; hacer —, to be missing, be lacking; to be needed; sin —, without fail

faltar, to be lacking, missing; to lack; to fail; — al respeto a, to be disrespectful to; eso sólo me faltaba, that would be the last straw

familia, family

familiaridad, familiarity

famoso, -a, famous; (*ironical*), notorious

fanfarrón, braggart

fantasía, fantasy, fancy

fantasma, *m.* ghost, apparition

farsa, farce

fascinación, fascination

fascinador, -a, fascinating

fastidiar, to displease, annoy; to disgust; — se, to become weary, bored

fastidioso, -a, boring, annoying

fatiga, fatigue, weariness

fatigado, -a, tired, bored

fatuo, -a, fatuous, stupid

favor, *m.* favor; al — de, favored by; hacer —, please

favorable, favorable

favorecerse, to be favored

fecundador, -a, productive, fertilizing

fecundo, -a, abundant, fertile

fecha, date

federación, federation

federal, federal

felicidad, happiness

felicitarse, to congratulate oneself

felino, -a, feline

feliz, happy

fenómeno, phenomenon

feo, -a, ugly, unpleasant

feroz, ferocious

fértil, fertile

fervorosamente, fervently

festejar, to celebrate

festín, *m.* feast, celebration

feudal, feudal

fiado, -a, trusting, trusted

fiar, to trust

fiebre, *f.* fever

fieltro, felt

fiera, wild beast

fiesta, festivity, festival, fiesta, diversion; ¿Para qué querríamos más —? (*See note to P. 6:20ff.*)

figura, face, figure, design

figurarse, to imagine

fijar, to fix; — se en, to fix the attention upon, look attentively at; to notice

fijo, -a, fixed

fila, file, rank (*of soldiers*) (*See* colocarse)

filial, filial

filtro, philter, love potion

fin, *m.* end, purpose; a — de, in order to; a — de que, in order that; al — *or* por —, finally, at last; dar —, to end; en —, in short

fingir, to feign, pretend

fino, -a, slender, graceful; fine, delicate; refined

firme, firm

fisonomía, looks, appearance, face

flaco, -a, weak, feeble

flacucho, -a, thin

flanquear, to flank, border
flaquear, to become weak
flojo, -a, loose, slack
flor, *f.* flower
florido, -a, flowery
fogón, *m.* stove; — de leña, wood-stove
fondo, bottom, depths; en el —, in reality
forajido, -a, outlaw, fugitive from justice
forma, form, figure
formado, -a, formed; caballería —a, cavalry in formation
formar, to form
formidable, formidable
fórmula, formula; por —, as a matter of form
forrado, -a, covered; baúl — de cuero, leather trunk
forraje, *m.* forage, fodder
fortalecer, to strengthen
fortaleza, fortress
fortificado, -a, strengthened, invigorated
fortuna, fortune, good-fortune, luck
foso, moat
frac, *m.* dress-coat
frágil, weak, delicate
fraile, *m.* monk, brother, member of religious order
francamente, frankly
francés, —esa, French, Frenchman
frase, *f.* phrase, word
fraseología, language
frecuencia, frequency; con —, frequently
frecuentar, to frequent
frecuente, frequent
frecuentemente, frequently
frenético, -a, frantic, mad
freno, bridle, bit

frente, *f.* forehead, face; *m.* front; al — de, at the head of; hacer — a, to face, oppose, resist; *adv.* — a, before, facing; in front of
fresco, -a, fresh, cool; youthful; *n. m.* fresh air, breeze, cool temperature
frialdad, coldness
fríamente, coldly
frío, -a, cold, chill; tierra —a (*see note to P. 1:1*)
frondoso, -a, leafy
fruición, enjoyment
fruncido, -a, curled, puckered
fruncir, to gather; — las cejas, to knit the eyebrows, frown
fruto, fruit
fuego, fire; love
fuera, outside, out; — de que, besides, aside from the fact that
fuero, right, privilege, power
fuerte, strong; large; hard; violent, intense
fuertemente, strongly
fuerza, force, strength; body; a —, by force, compulsion; auxilio de —, reinforcements; *pl.* strength
fuga, flight
fugarse, to run away
fugaz, fleeting
fulgor, *m.* gleam, flash, brilliance
funcionario, official
funda, cover, covering, holster
fundamento, foundation
fundar, to base
fundido (a), fused
funerales, *m. pl.* funeral
funesto, -a, sad, dreadful
furioso, -a, furious, enraged
furor, *m.* fury, rage
fusilar, to shoot
futuro, -a, future

G

gachupín, *m.* Spaniard living in the New World

galante, gallant

galantería, gallantry, courtesy; compliment

galería, gallery, hall, corridor

galón, *m.* galloon, braid, trimming

galope, *m.* gallop; **a todo —,** at full gallop

gallardía, gallantry

gallardo, -a, gallant; graceful, bold

gallo, cock, rooster

gana, desire; **de buena —,** gladly

ganado, cattle

ganar, to earn

garganta, throat, gorge

garra, claw, clutch

gasa, gauze

gastar, to spend; to waste

gasto, expense; **hacer los —s por su cuenta,** to pay the expenses oneself

gemir, to groan

general, *adj.* and *n. m.* general; **cuartel —,** *m.* headquarters

generalmente, generally

género, kind

generosidad, generosity

generoso, -a, generous, noble

genio, disposition, temper

gente, *f.* people, men

germinar, to bud, germinate, be born

gestión, effort, act

gesto, gesture; expression

gigantesco, -a, gigantic

glacial, icy

gobernador, *m.* governor

gobierno, government; governor

goce, *m.* pleasure, delight

golpe, *m.* throb; beat; blow; **dar un —,** to attack by surprise

González Ortega, *see Introduction*

gota, drop

gozar, to enjoy

gracias, thanks, thank you; **— a,** thanks to; **dar —,** to thank

gracioso, -a, pleasing, charming, pleasant

grado, degree, point

gráfico, -a, graphic, vivid

grama, wheat-grass

grande, gran, great, large; **en —,** on a large scale

grandísimo, -a, *used here with some word understood like our "you great big . . ."*

granjearse, to win (*goodwill*)

grano, grain; **— de oro,** soul of honor

gratísimo, -a, very pleasing

gratitud, gratitude

grato, -a, pleasing, pleasant

grave, serious, grave

gravedad, seriousness, graveness

grieta, fissure, crack

gris, gray

gritar, to shout, cry out

gritería, outcry, shouting

grito, cry, shout; **llamar a —s,** to call loudly

grosero, -a, coarse

grueso, -a, large, big, great, thick

grupa, rump (*of horse*)

grupo, group

gruta, cave

guapo, -a, good-looking, handsome; *n. m.* dandy

guarda-campo, guard of the fields, watchman

guardar, to keep, guard; to put away; to safeguard; to be in, have; **llevar guardado, -a,** to carry tucked away

guardia, guard

guarecerse, to take refuge, seek shelter

guarida, den, lair, haunt

guarnición, garrison

guayín, m. (Mex.) four-wheeled carriage

güerito, -a, fair-skinned, light complexioned, dim. of güero, -a (Mex.) (See note to P. 97:28)

guerra, war

guerrero, warrior

guiar, to guide

guiñar, to wink, flash

guirnalda, garland, wreath

guisa: a — de, like, as

guisado, stew

guitarra, guitar

gusano, worm

gustar, to please

gusto, pleasure, taste

H

haber, to have; — de, to have to, am to; impers. be (see below hay)

habitación, room, apartment, dwelling; de —, living (adj.)

habitar, to live, dwell, inhabit

hábito, habit, custom

habituarse, to habituate oneself, accustom oneself (see note to P. 93:13)

hablar, to speak, talk

hacendado, ranch owner, owner of an hacienda

hacer, to do, make, cause; — alto, to halt; — caso, to pay attention; — el sordo, to turn a deaf ear, pay no attention; — falta, to be missing, be lacking; — favor, please; — frente, to face, resist, oppose; — los gastos por su cuenta, to pay the expenses himself; —

más de dos años, for more than two years; — sus provisiones, to get their supplies; — una pregunta, to ask a question; — un rato, a little while ago; no le hace, it makes no difference (see note to P. 69: 16); no me hace nada, it makes no difference to me, what do I care?; no hacía mucho, not long before; —se a, to become accustomed to; —se el (la) disimulado, -a, to hide one's feelings; —se tarde, to grow late

hacia, toward

hacienda, large country estate, ranch, farm, plantation; fortune, wealth

hallar, to find; —se, to be; to be located

haragán, m. idler, loafer

harto, quite, rather, enough, sufficient

hasta, up to, as far as, until; even; to the point of; — que, until; — luego, I'll see you soon

hay, impers. pres. indic. of haber, there is, there are; — que, one should; it is necessary; ¿Qué hay?, What's the matter?

haz, m. bundle, cluster, handful

hazaña, exploit

hecho, -a, past part. of hacer; n. m. fact

helado, -a, frozen, cold; chilly, frigid; dejar —, to freeze, petrify

helar, to freeze

hendir, to split

hercúleo, -a, Herculean

heredera, heiress

herida, wound

herir, to wound, hurt

hermano, -a, brother, sister
hermoso, -a, beautiful
hermosura, beauty
héroe, *m.* hero
heroicamente, heroically
herradura, horse-shoe
herrería, shop, smithy
herrero, smith
hierro, iron
hija, daughter, girl, child
hijo, son
hilera, row, line
himno, hymn
hipócrita, dissembling, lying
hogar, *m.* hearth, home
hoguera, fire
hoja, leaf, blade
¡hola!, hello!, here!
holganza, amusement, diversion
holgazanería, idleness, laziness
hollado, -a, trodden upon, trampled underfoot
hombre, *m.* man; husband; — de bien, honorable man
hombro, shoulder
homenaje, *m.* homage
hondamente, deeply
hondísimo, -a, very deep
honor, *m.* honor
honradamente, honorably
honradez, honor
honradísimo, -a, very honorable
honrado, -a, honored, honorable
hora, hour, time; no ver la —, to be impatient, unable to wait (*see note to* P. *6:25*) a esas —s, at about that time
horizonte, *m.* horizon
horrible, horrible, awful, repellant
horriblemente, horribly
horror, *m.* horror
horroroso, -a, frightful, horrible
hostilidad, hostility

hoy, today; — mismo, this very day, just today
huella, track, footprint, imprint
huérfano, -a, orphan
huerito, -a, *dim. of* huero, -a (*Mex.*)
huero, -a, fair-skinned, light complexioned (*see note to* P. *97:28*)
huerta, garden
hueste, *f.* host
huir, to flee
hule, *m.* oil-skin; india rubber
humanidad, humanity
humedad, dampness
humedecer, to wet
humilde, humble, modest
humildísimo, -a, very humble
humillación, humiliation
humillar, to humiliate, bemean
humo, smoke
humor, *m.* humor, disposition

I

idea, idea
ideal, ideal
idiota, *m. f.* idiot
ídolo, idol
iglesia, church
ignorar, to be ignorant of, not to know
igual, equal, same; cosa —, such a thing
ilimitado, -a, unlimited
iluminar, to light up
ilusión, illusion
ilustración, illustration; learning
imagen, *f.* image
imaginación, imagination
imitar, to imitate
impaciencia, impatience
impacientarse, to become impatient
impaciente, impatient
impasivo, -a, impassive

impedir, to stop, prevent
imperioso, -a, urgent
impetuosamente, impetuously
impetuoso, -a, rapid, violent
implorar, to implore
imponer, to impose
importancia, importance
importantísimo, -a, very important
importar, to be important, matter
importunar, to pester, bother
imposible, impossible, unattainable
impotencia, impotence, weakness; powerlessness
impotente, impotent, helpless
impresión, impression
improvisado, -a, thrown together
improvisar, to improvise; to make or arrange hastily
imprudente, imprudent, hasty
impulsado, -a, driven
impulso, impulse
impune, unpunished
impunemente, with impunity, unpunished
inadvertido, -a, unnoticed
incapaz, incapable
incendiado, -a, set on fire, burned
incienso, incense
inclinado, -a, inclined, bowed, bent
inclinar, to lower, pull down; — se, to bend over, bow; to favor
incoherente, incoherent
incomodidad, inconvenience
incomunicación, solitary confinement, isolation
incomunicado, -a, incommunicado, in solitary confinement
indagar, to investigate, inquire into
indecible, indescribable
indecisión, indecision, hesitation
independencia, independence

independiente, independent
indescriptible, indescribable
indicación, indication, clue, hint
indicar, to indicate, show
indiferencia, indifference
indiferente, indifferent, indifferently
indígena, m. f. native
indignación, indignation
indignado, -a, indignant
indigno, -a, unworthy
indio, -a, Indian
indisciplinado, -a, undisciplined
indiscreción, indiscretion
indispuesto, -a, indisposed
indudable, certain
indudablemente, undoubtedly
ineficaz, ineffectual, powerless
ineludible, unavoidable, inescapable
inerme, unarmed, defenseless
inesperado, -a, unexpected, unlooked for
inexperto, -a, inexperienced
inexplicable, inexplicable, unexplainable
infaliblemente, infallibly
infancia, infancy
infatigable, untiring
infecto, -a, infected, infectious; infested, overrun with
infeliz, poor, wretched, unfortunate
inferior, inferior, lower
inferioridad, inferiority
infestar, to infest, overrun
infierno, hell
infinitamente, greatly
infinito, -a, infinite, deep
influencia, influence
influir, to prevail upon
informar, to inform
informe, m. information, report, statement

infortunado, -a, unfortunate
infortunio, misfortune
infundir, to inspire
ingrato, -a, ungrateful, ingrate
injusto, -a, unjust
inmaculado, -a, unstained
inmediatamente, immediately
inmenso, -a, immense, vast
inmóvil, immovable
inquieto, -a, uneasy
inquietud, anxiety
insaciable, insatiable
insecto, insect
inseguro, -a, insecure
insensatez, madness, folly
insensato, -a, mad person
insensible, insensible, unfeeling, unaware
insinuar, to insinuate
insistir, to insist
insolente, insolent
insomnio, insomnia, sleeplessness
insoportable, unbearable
inspirar, to inspire
instancia, instance
instante, *m.* instant; **al** —, straightway; **en el** —, at once
instinto, instinct
insuficiente, insufficient
insultante, insulting
intacto, -a, intact, untouched
inteligencia, intelligence; *pl.* sources of information
inteligente, intelligent
intención, intention
intensamente, intensely
intenso, -a, intense, deep
intentar, to try
intento, intention, purpose
interés, *m.* interest; *pl.* property; business affairs, money matters; **sin** — **de nada**, without ulterior motive
interesante, interesting

interesar, to interest; —se, to take interest in, be concerned
interior, inner, inside
internarse, to enter, penetrate
interponerse, to interpose
interpretar, to interpret
interrogar, to question, ask
interrumpir, to interrupt
intervención, intervention
íntimamente, intimately
intimidad, intimacy
íntimo, -a, intimate
intrepidez, daring
introducir, to place, put in
inundación, inundation, flood
inundar, to inundate, wet; to threaten
inútil, useless
inútilmente, uselessly
invadir, to invade
inventar, to invent, make up
invitar, to invite
invocar, to invoke, call
involuntario, -a, involuntary
ir, to go; — *with gerund*, to be, become; — **a caballo**, to ride (on horseback); — **siendo**, to become steadily . . . ; —se, to go away, be off
ira, anger
irregular, irregular; unusual
irregularidad, irregularity
irremediable, irremediable, hopeless
irresistible, irresistible
irritación, irritation
irritado, -a, irritated
izquierdo, -a, left

J

jaez, *m.* harness, trappings
jamás, never, ever
jarabe, *m.* Mexican folk-dance
jarana, native Mexican guitar

jaranita, *dim. of* jarana
jardín, *m.* garden
jaula, cage
jefe, *m.* chief, leader
jinete, *m.* rider, horseman
Jonacatepec, *town southeast of Yautepec* (see map)
jornada, day's march
jorongo, poncho (*see note to P. 93:10*)
joven, young; *m. f.* youth, young man, girl
joya, jewel
Juárez, *President of Mexico at the time of this story.* (*See Introduction and note to Chapter XXIV, P. 129.*)
judicial, judicial
juego, game; gambling; poner en —, to put in movement, bring into play
juez, *m.* judge
jugador, -a, player, gambler
jugar, to play
juicio, judgment; legal authority; perder el —, to go mad
juntamente, together
juntar, to unite
junto a, near, beside, close to; with
jurar, to swear
jurisdicción, jurisdiction
justamente, exactly
justicia, justice
justiciero, agent of justice
juventud, youth
juzgado, court
juzgar, to judge

L

la, the; her, it, you; — que, who, that, which; she who, the one who or which
laberinto, labyrinth, maze
labio, lip

labor, *f.* work
laborioso, -a, hard-working, industrious
labrador, -a, workman, farmer
labrar, to bring about, effect
lacónico, -a, laconic
lado, side, direction
ladrón, *m.* robber, bandit
lágrima, tear
lamer, to lap, touch slightly
lana, wool
lanilla, flannel
lanzar, to cast; to utter, launch; to dart, rush; — se a, to engage in, embark in
lápiz, *m.* pencil
largamente, at length
largarse, to go away, leave
largo, -a, long; a lo —, the length
las, the; them, you; (*before* de *or* que) those, the ones
lástima, pity
lastimar, to hurt, wound
lastimoso, -a, pitiful
latigazo, crack of a whip
latir, to beat, throb
lazo, loop
le, him, to him, to her, to you, to it
lector, *m.* reader
lecho, bed
leer, to read; — la cartilla, to give one a lecture, lay down the law (*see note to P. 65:25ff.*)
legalmente, legally
legendario, -a, legendary
legua, league
lejano, -a, distant, far away
lejos, far, far away, removed; — de, far from; a lo —, in the distance; de —, from afar, from far off
lentamente, slowly
lentitud, slowness
leña, firewood; de —, wood (*adj.*)

leñador, -a, woodcutter

leopardo, leopard

les, them, to them, to you

letal, deadly

letargo, lethargy, drowsiness

letra, letter

letrero, sign, inscription

levantar, to raise; to erect; —se, to get up, rise

leve, light, low

ley, f. law

liberal, liberal

libertad, liberty

libertar, to free

librar, to deliver, free, preserve

libre, free, open

libro, book

licor, m. liquor, strong drink

lidiar, to struggle, contend

ligeramente, slightly

limitar, to limit

límite, m. limit, bound

limonero, lemon-tree

limpiar, to clean, clear

limpio, -a, clear, free

lindo, -a, pretty, fine

línea, line; tropa de —, line-troops

linfa, water

linterna, lantern; — sorda, dark lantern

lisonja, flattery

lista: pasar —, to call the roll

listo, -a, ready

literalmente, literally

lívido, -a, livid

lo, it, him, you; — que, which, that which, what; — que eres tú, as far as you are concerned; en — de, in the matter of; for; lo, (art.) + m. adj. or past part., (see note to P. 25:1, 20)

lobo, wolf

local, local

loco, -a, mad, crazy

locura, madness, foolishness

lodo, mud

lograr, to succeed, obtain, achieve, accomplish; profit

los, the; them; (before de or que) those, the ones

lucido, -a, splendid, magnificent; estar —, (see estar and note to P. 111:31)

luciérnaga, glowworm, firefly

lucir, to show, display; —se, to show off

lucha, struggle, fight

luchar, to struggle

luego, afterwards, soon, then, at once; therefore; luego luego, right away; — que, as soon as; desde —, at once; hasta —, I'll see you soon; tan — como, as soon as

lugar, m. place; occasion; en — de, instead of

lugarcito, (dim. of lugar) small place

lúgubre, gloomy, ill-boding

lujo, luxury, elegance

luminoso, -a, bright, cheerful

luna, moon

lustre, m. luster, gleam; splendor, show; good time (slang, in the bandit's song on P. 17)

luto, mourning

luz, f. light

LL

llama, flame

llamamiento, call

llamar, to call, knock; —se, to be named

llano, -a, plain, smooth, easy; n. m. plain

llanto, weeping, tears

llanura, plain

llave, f. key

llavecita, (dim. of llave) little key

llegada, arrival

llegar, to arrive, reach

llenar, to fill, overwhelm

lleno, -a, full, covered; — con, filled by; de —, completely; dar de — sobre, to shine full upon (*of the moon here*)

llevar, to carry, lead, take along, take away, wear; —se, to carry off; — a cabo, to carry out; —se con, to get along with, be on good terms with

llorar, to weep, cry; *trans.* to weep about, for

lloroso, -a, tearful

lluvia, rain, flood, shower

M

machete, *m.* machete

madeja, lock

madera, wood

madre, *f.* mother

madriguera, den, lair

madrina, god-mother

madrugada, dawn; muy de —, very early

madrugar, to get up early

maestro, master, employer

magnífico, -a, magnificent

maíz, *m.* maize, Indian corn

majestad, majesty

mal, badly, bad; *n. m.* sickness

maldito, -a, cursed

malestar, *m.* uneasiness, restlessness

maleta, valise, bag

maleza, thicket, underbrush

malhechor, *m.* malefactor

malicia, malice

maliciosamente, maliciously

malicioso, -a, malicious, evil, suggestive

maligno, -a, malicious

malísimo, -a, very bad

malo, -a, bad, evil, sick; estar — del corazón, to have heart trouble (*see note to P. 7:4*)

malogrado, -a, missed, lost

malograr, to cause to fail, bring to naught; —se, to fail, fall through

malsano, -a, unwholesome

maltratar, to mistreat, handle roughly

malvado, -a, wicked, bad, evil

mamá, mamma

mamacita, (*dim. of* mamá) mother dear

mamey, *m.* mammee-tree

manaza, paw, large hand

mancomunidad, community

mandar, to send, order, command

manera, way, manner; de — que, so that; de esa —, in that way

manguero, mangrove

manifestar, to show, manifest; to make known, inform

mano, *f.* hand; estar en la — de uno, to be within one's power

manojo, handful

manta, blanket; rug; Indian blanket

mantener, to maintain, keep

manto, mantle

Manuela, *daughter of doña Antonia*

Manuelita, *dim. of* Manuela

mañana, *n.* morning; *adv.* to-morrow; pasado —, day after to-morrow

máquina, machine

mar, *m. f.* sea

maravilloso, -a, marvelous

marcar, to mark, indicate

marcial, martial

marco, frame

marcha, march, journey

marchar, to walk, march; to keep going

marfil, *m.* ivory

María: Virgen —, Virgin Mary

marido, husband

marinero, mariner, sailor

Márquez Leonardo, (*see Introduction and note to P. 62:2*)

mártir, *m. f.* martyr

más, more, most, other; — bien, rather; — que todo, most of all; no — que, only, not . . . except; no . . . — que, only; por — que, however much

masa, mass

Matamoros, *city in the State of Puebla*

matanza, slaughter

matar, to kill

materno, -a, maternal

matorral, *m.* thicket

matrimonio, marriage

mayor, greater, greatest, older; altar —, high altar

me, me, to me, myself

meca: correr la ceca y la —, to go from place to place; (*see note to P. 108:4*)

mecate, *m.* rope

mediano, -a, moderate, average

medianoche, *f.* midnight

medicina, medicine

médico, physician, doctor

medida: a — que, as, according as

medio, -a, half; middle; *n. m.* middle; means, plan; en — de, in the midst of

mediodía, *m.* midday, noon

meditación, meditation, revery

medroso, -a, fearful, terror-stricken

Méjico, Mexico

mejilla, cheek

mejor, better, best

melancolía, melancholy

melancólico, -a, sad, melancholy

meloso, -a, sweet, gentle, honeyed

mella, impression

memoria, memory

mencionar, to mention

mendigo, beggar

menor, slightest

menos, less, least; except; al —, at least; por lo —, at least; no poder — de, not to be able to help

mentar, to mention

menudo, -a, small, little

meramente, merely

merced: — a, thanks to

merecer, to deserve, win

merecimiento, merit

meridional, southern

merodear, to pillage, maraud

mes, *m.* month

mesar, to tear (*the hair*)

meseta, plateau, flat piece of ground

mesón, *m.* inn, tavern

mestizo, mestizo, half-Spanish and half-Indian

metal, *m.* metal; tone, quality

metate, *m.* grinding-stone

meter, to put, place; — miedo, to frighten; —se, to enter; — se a, to undertake

meticuloso, -a, meticulous, fearful, timid

metidito, -a, shut up, confined (*see note to P. 108:14*)

México (*old spelling*), Mexico

mezcla, mingling, mixture, combination

mezclado, -a: — de, accompanied by

mezclar, to mingle

mi, my

mí, (*after a preposition*) me

miedo, fear; meter —, to frighten; tener —, to be afraid

mientras, while; meanwhile; — que, while; until

mil, thousand

milano, kite, bird of prey

militar, military; *n. m.* soldier

milla, mile

mínimo, -a, least, slightest; más —, most trifling (*see note to* P. *66:16*)

ministerio, ministry, office; M— de la Guerra, War Office

minuto, minute

mío, -a; el mío (la mía, *etc.*), my, mine, of mine

mirada, glance

mirador, *m.* lookout

mirar, to look at, look; to observe; mira, see, see here, listen

misa, mass

miserable, wretched

miserablemente, miserably

miseria, misery, poverty

misericordia, mercy, pity

mismo, -a, same, very, self, own; *intensifies pers. pron.:* myself, etc.; ahora —, right now; lo — me da, it's all the same to me; lo — que, just as, as well as; por lo —, therefore

misterio, mystery, mysteriousness

misterioso, -a, mysterious

mitad, *f.* half

moda: de —, in style

modales, *m. pl.* manners, customs

modesto, -a, modest

modificar, to modify, change

modito, cleverness

modo, way, manner, custom; de — que, and so, so that; de otro —, in any other way, otherwise

mojar, to wet, drench

molendera, grinder

molestísimo, -a, very unpleasant

momento, moment; al —, right away

moneda, piece of money, money

monótono, -a, monotonous

monstruo, monster

monstruoso, -a, monstrous, monster

montado, -a, mounted; — en, mounted on, riding

montaña, mountain

montañés, -a, mountain *adj.*

montañoso, -a, mountainous

montar, to mount, ride, assist to mount; — a caballo, to ride horseback; silla de —, saddle

monte, *m.* mountain; woodland, forest

montón, *m.* heap, mound

montuoso, -a, mountainous

montura, saddle, trappings

moralidad, morality, moral sense

morder, to bite

Morelia, *town west of Mexico City* (see map)

Morelos, *state of Mexico of which Cuernavaca is the capital*

moreno, -a, dark, swarthy

moribundo, -a, dying, near death; in mortal anguish

morir, to die; —se, to be dying

mortal, mortal

mortificación, mortification, embarrassment

mosca, fly; cash

mosquete, *m.* musket, gun

mostrar, to show

motivo, motive, cause; con — de, on account of

mover, to move

movimiento, movement

mozo, -a, youth, boy, girl
muchacha, girl, woman
muchacho, boy, youth, fellow
muchísimo, -a, very much; *pl.*, very many
mucho, -a, much, many, very; muchas veces, often
mudo, -a, mute, silent
mueblaje, *m.* furniture, furnishings
muerte, *f.* death; de —, deadly; intensely, implacably
muerto, -a, *past part. of* morir, dead
mujer, *f.* woman, wife
mujeriegas: a —, woman-fashion, side-saddle
mulato, mulatto
múltiple, multiple, many
mundo, world; todo el —, everybody
munición, munition, arms, weapon
murmullo, murmur
murmurar, to murmur
muro, wall
musculoso, -a, muscular
muselina, muslin
musgo, moss
música, music; orchestra, band
músico, musician
muy, very, very much; too

N

nacer, to be born
naciente, growing
nacional, national
nada, nothing, anything; — más, only; no me hace —, it makes no difference to me, what do I care?; para —, at all
nadie, no one, nobody; anyone, anybody
naipe, *m.* card (*playing*)

naranjo, orange-tree
nariz, *f.* nose
narración, story, account
nasal, nasal
natural, natural
naturaleza, nature, kind
naturalmente, naturally
naufragar, to wreck; to sink, go down
nave, *f.* nave
necedad, stupidity
necesario, -a, necessary
necesidad, necessity, need, desire
necesitar de, to need; — se, to be necessary
néctar, *m.* nectar
negar, to deny; to disclaim, repudiate; — se, to refuse
negocio, matter, business
negro, -a, black, dark; gloomy
negruzco, -a, blackish
nervudo, -a, vigorous
ni, neither, nor; not even, even; ni . . . ni, nor, neither . . . nor
Nicolás, the smith of the hacienda of Atlihuayán
nido, nest
niebla, cloud, haze
nieve, *f.* snow, whiteness
ninguno, -a, ningún, no one, none, no, any, not any
niña, girl
niñez, *f.* boyhood, childhood
niño, boy
no, no, not; — más, only
noble, noble
noción, notion, idea
nocturno, -a, nocturnal
noche, *f.* night; buenas —s, good evening; de —, by night, at night; entrada la —, night having come
nombrar, to name, appoint
nombre, *m.* name

normal, normal

norte, *m.* north

nos, us, to us

nosotros, -as, we; (*after a prep.*) us

notable, remarkable, noticeable

notar, to note

noticia, news

novedad, news, new thing, novelty; bad news; danger; trouble, mishap

novio, -a, sweetheart, betrothed, fiancé(e)

nubarrón, *m.* large, threatening cloud

nube, *f.* cloud; crowd

nublarse, to cloud

nudoso, -a, knotty, covered with knots

nuestro, -a, el nuestro (la nuestra, *etc.*), our, ours, of ours

nuevo, -a, new; de —, again

número, number

numerosísimo, -a, very numerous

numeroso, -a, numerous; large in number

nunca, never, ever; más que —, more than ever

nupcial, nuptial

O

o, or

obedecer, to obey

objetar, to object, contradict

objeto, object, purpose

obligar, to oblige, force

obra, work

obrero, workman, laborer

obscurecer, to grow dark, darken; al —, at nightfall

obscuridad, darkness, shadow

obscuro, -a, dark; diffident

obsequiar, to pay attention to, take notice of

observar, to observe, notice

obstáculo, obstacle

obstinado, -a, obstinate

obtener, to obtain, win

ocasión, opportunity, occasion

ocio, idleness; *pl.* periods of idleness, leisure

ocultar, to hide, conceal

oculto, -a, hidden

ocupar, to occupy; to use, employ, engage; to inherit; to take possession of

ocurrir, to occur, happen; lo ocurrido, what had happened

ocho, eight

odiar, to hate

odio, hatred

odioso, -a, odious, hated

oferta, offer

oficial, officer; foreman, boss

oficina, office

oficio, official letter

ofrecer, to offer; — se, to offer; to occur, happen, present itself; ¿qué se les ofrece a ustedes? what do you need *or* want?

ofuscar, to dim

¡oh!, oh!

oídas: de —, by hearsay

oído, ear; dar — s, listen

oír, to hear, listen to

ojalá, *derived from the Arabic and used to express a wish in Spanish; may be translated by* Would! May! *or* I hope!

ojo, eye

olor, *m.* odor

olvidar, to forget

olla, pot, kettle

once, eleven

ondular, to undulate

onza, doubloon

operación, operation, act
operar, to operate; — se, to
work, take place
oponer, to oppose
oportunidad, opportunity
oportuno, -a, opportune, timely
opuesto, -a, opposed, opposite
ora, *contraction of* ahora, now
oración, prayer; toque de —,
bell for evening prayer
orar, to pray
órbita, orbit
orden, *f.* order, command
ordenar, to arrange; to order,
direct
ordinario, -a, ordinary, usual
oreja, ear
organización, constitution
organizar, to organize
órgano, organ
orgía, orgy
orgullo, pride
orgulloso, -a, proud
oriental, eastern, oriental
oriente, *m.* east
original, original, individual
orilla, bank, shore; edge; outskirt
oro, gold
Ortega, González, (*see Introduction*)
ortiga, nettle
ostentación, show, display
ostentar, to show, display
otoño, autumn
otro, -a, another, other; different

P

pa, *contraction of* para
pacífico, -a, peaceful
padecer, to suffer
padre, *m.* father; *pl.* parents
padrino, god-father
pagar, to pay
país, *m.* country

paisaje, *m.* countryside, landscape
paja, straw
pájaro, bird
pala, shovel, trowel
palabra, word, promise
palidecer, to become pale
palidez, *f.* pallor
pálido, -a, pale; ponerse —, tc
become pale
palma, palm-leaf
palmada, slap
palo, pole
palpar, to touch, feel of; to realize
palpitante, palpitating, trembling,
vibrating
palpitar, to beat, throb, palpitate
pan, *m.* bread; — de cada día,
daily bread
pantalón, *m.* pair of trousers
pantano, swamp, marsh, bog
paño, cloth
pañolón, *m.* shawl
pañuelo, handkerchief
papel, *m.* paper
papelito, (*dim. of* papel) note,
billet doux
par, *m.* pair
para, to, in order to, for; — con,
toward; — nada, at all; —
que, in order that; ¿— qué?,
for what reason?; es —, it
makes one
paraje, *m.* stopping-place
parálisis, *f.* paralysis
paralizar, to paralyze
parapetar, to barricade
parar, to stop, stay, remain; to end
parcialidad, partiality
parecer, to appear, seem
parecido, -a, similar, like; mal
—, bad-looking; bien —, good-
looking
pared, *f.* wall
pareja, pair, couple

pariente, -a, *m. f.* relative
parlanchina, chatterer
parlotear, to chatter
paroxismo, paroxism
parroquia, parish
parroquial, parochial, parish
parte, *f.* part, side, place; dar —,
to inform, notify, report; de
pocos días a esta —, for the
last few days; por otra —, on
the other hand; por una —, on
the one hand; por todas —s,
everywhere
particular, *m.* point; individual
particularmente, particularly
partida, party, band
partido, party, faction
partir, to set out, leave, depart;
— sobre, to set upon
pasado, -a, past; — mañana, day
after to-morrow
pasajero, -a, transient, fleeting;
n. m. passenger
pasar, to pass; pass through; go,
go away; spend; happen; to
cross; — de, to exceed; —
lista, to call the roll; — trabajos, to experience hardships *or*
privations; ¿qué le pasa?,
what's the matter with you?
pasear, to walk, walk about, take
a walk; *trans.* to take out to
walk; to walk up and down (*as
a horse*)
pasión, passion, love
paso, passage, way; step; — a —,
step by step; al —, at a walk;
apretar el —, to press forward;
dar —s, to take steps
patente, evident
patibulario, -a, horror-producing,
criminal
patíbulo, gallows; de —, terrifying

patio, patio, courtyard
patria, native country; patrio, -a,
(*adj.*) of one's own country
patrimonio, patrimony, inheri-
tance
patriótico, -a, patriotic
patrón, *m.* employer
patrulla, patrol
pavor, *m.* fear
pavoroso, -a, frightful, terrible,
fearsome
peculio, purse, money
pecho, breast, chest
pedazo, piece
pedestre, foot
pedir, to ask, demand
pedregoso, -a, stony, rocky
pegar, to beat, strike; shut, close
peinado, coiffure
peine, *m.* comb; cortado a —,
cut short
pelea, fight; caballo de —, army
horse
pelear, to fight
peligrar, to be in danger
peligro, danger, threat, peril
peligrosísimo, -a, very dangerous
peligroso, -a, dangerous
pelo, hair, skin; color (*of horses*)
pena, pain, anguish, trouble; so
— de, under penalty of
pender, to hang
pendiente, pending; hanging
from; — de, waiting for; *n. m.*
ear-ring
penetrar, to penetrate, reach; —
en, to enter
penosísimo, -a, most painful,
most unpleasant
pensamiento, thought
pensar, to think, intend, plan; —
en, to think about; dar en qué
—, to worry; tener pensado,
to plan

pensativo, -a, thoughtful
peor, worse
pequeño, -a, small, little; short
percal, *m*. percale, muslin, calico
percepción, perception, insight
perceptible, perceptible
perder, to lose; — de vista, to lose sight of; — el juicio, to go mad; — se, to disappear
perdido, -a, lost; misguided
perdón, *m*. pardon
perdonar, to pardon
perezosamente, lazily
perezoso, -a, lazy
perfectamente, perfectly, quite
perfil, *m*. profile
perjuicio, damage, trouble
perla, pearl
permanecer, to remain
permanencia, stay
permitir, to permit, allow
pero, but
perro, dog; *adj*. mean, vile
persecución, persecution; pursuit
perseguidor, -a, pursuer, pursuing
perseguir, to pursue, follow
persona, person
personal, personal
personalmente, personally
perspicacia, perspicaciousness
pertenecer, to belong
perversión, perversion, wickedness
perverso, -a, perverse, evil
pesado, -a, profound, deep; hard; heavy, oppressive; unbearable
pesadumbre, *f*. grief, trouble
pesar, *m*. grief, affliction; a — de, in spite of
peso, weight; peso, dollar
pesquisa, search
pestilente, foul
petardo, fire-cracker (*see note to P. 132:19*)

petate, *m*. mat
pezuña, foot; hoof
piadoso, -a, pious, religious, devout
picado, -a, piqued, vexed; pricked, stung
picar, to spur
pícaro, -a, rogue, wretch, rascal
pico, peak
pie, *m*. foot; base; a —, on foot; de —, standing; echar —, to set foot
piedad, pity
piedra, stone
piel, *f*. skin
pierna, leg
pieza, piece; room; —s de habitación, dwelling rooms
Pilar, *god-child of doña Antonia*
pillaje, *m*. pillage, plunder
pinta, appearance
pintar, to paint, picture, show
pintoresco, -a, picturesque
pisada, foot-step
pistola, pistol
pláceme, *m*. congratulations
placer, *m*. pleasure, delight
placita, *dim. of* plaza, little square
plaga, plague, scourge
plagiado, -a, captive, kidnapped
plagio, capture, abduction, kidnapping
planta, plant
plata, silver, money
platanar, *m*. group of plantain or banana trees
plateado, *name for Mexican bandits because of the silver ornaments they used on their clothes and on the trappings of their horses* (*see note to P. 3:27, and Introduction*); —, -a, silvery
playa, shore, edge

plaza, square; market-place

pleito, quarrel

plenitud, fullness, completeness

pléyade, *f.* pleiad; group of writers

población, village, town

poblado, village

poblar, to populate, fill

pobre, poor

pobrecito, -a, poor fellow, poor girl

poco, -a, little, a little; a short time; a —, in a little while; — a —, little by little; *pl.* few

poder, to be able, can; no — menos de, not to be able to help; no — nada, not to be able to do anything; no — ver, not to be able to stand *or* endure; *n. m.* power, authority; power of attorney

poderoso, -a, powerful

poetizar, to idealize

polca, polka

político, -a, political

polvo, dust

poma, apple, fruit

pomposo, -a, magnificent, splendid

poncho, poncho

poner, to place, put, put on; to send; — al descubierto, to uncover; — a rescate, to hold for ransom; — casa, to set up a home; — con, to oppose; — en juego, to put in movement, bring into play; — se, to become; — se a, to begin, set out to; — se el sol, to set (*sun*); — se pálido, to become pale

populacho, populace, rabble

popular, popular

poquedad, littleness, paucity

por, for, through, on, by, to, in, on account of, as; — ahí, over yonder; — ahora, for the present; — eso, on that account; — (más) + *adj. or past participle* + que = however; — si, in case

porfía, insistence, determination

porque, because

¿por qué?, why?

portal, *m.* entrance, doorway

portarse, to act, behave

pos: en — de, after

poseer, to possess

posesión, possession

posible, possible; lo más pronto —, as quickly as possible

posición, position

potestad, power, protection; authority of parents over minor children

poza, pool

pozo, hole, puddle, pool

precaución, precaution

precedente, preceding

preceder, to precede

precipitadamente, hastily

precipitado, -a, precipitated; hurled; hasty

precipitarse, to rush

precisamente, exactly, just at that moment; ahora —, right now

preciso, -a, necessary

predisponer, to prejudice

prefecto, prefect

prefectura, prefecture, prefect's office

preferencia, preference, love

preferir, to prefer, choose

pregunta, question

preguntar, to ask (*a question*), question

prender, to seize

preocupación, worry, anxiety

preocupado, -a, preoccupied, distracted, worried

preocuparse, to heed, pay attention to; to worry

preparar, to prepare, make ready

presa, booty

presencia, presence

presentar, to present, offer, show, make; — se, to appear

presentimiento, presentiment

presidente, *m.* president

presidiario, convict

presión, pressure

presa, prey; capture

preso, -a, *past part. of* prender, caught; *n.* prisoner, captive

prestar, to lend

prestigio, prestige, fascination

pretendiente, *m.* suitor

pretextar, to give as pretext, pretend

prevenir, to warn, notify

prever, to foresee

previsión, foresight, apprehension

priesa, haste, hurry; a gran —, at great speed, quickly (prisa *is more commonly used today*)

primaveral, spring (*adj.*)

primero, -a, primer, first

principal, principal, main; *n. m.* chief

principalmente, principally, mainly

principio, beginning, first

prisa: de —, quickly, hurriedly

prisión, prison; imprisonment

prisionero, -a, prisoner

probablemente, probably

probar, to try, taste, take

proceder, *m.* conduct

procurar, to try, endeavor, procure; to bend one's efforts; (*see note to P. 45:31*)

prodigar, to lavish

prodigio, prodigy, marvel

producción, production

producir, to produce, cause, bring in; — se, to take place, arise

producto, product

profesar, to profess; to entertain (*as friendship*)

prófugo, fugitive from justice

profundamente, p r o f o u n d l y, deeply

profundísimo, -a, very deep

profundo, -a, profound, great, close

profusamente, profusely

profusión, profusion, abundance

prolongado, -a, prolonged

promesa, promise

prometer, to promise

pronto, soon, quickly; lo más — posible, as quickly as possible; por de —, for the time being; *adj.* —, -a, ready

pronunciar, to pronounce, utter

propiamente, exactly

propietario, proprietor, owner

propio, -a, one's own; exact, very, same

proponer, to propose; — se, to resolve

proporción, proportion, size

proporcionado, -a, proportioned

proporcionar, to supply, offer

propósito, plan, purpose, proposal; a —, fit for, for the purpose; de —, on purpose

protección, *f.* protection

protector, *m.* protector

proteger, to protect

provecho, benefit, profit

proveer, to provide, supply

providencia, measure, step; la P—, Providence

provisión, provision, supply

provisional, provisional

provocar, to provoke, incite

próximamente, nearly

proximidad, proximity, nearness

próximo, -a, near, close, close at hand, approaching

proyectar, to cast

prueba, test

publicar, to publish

público, -a, public

Puebla, *town southeast of Mexico City and east of Cuernavaca* (see map)

pueblo, town, village; people

puerta, door

pues, well, then, therefore, since, for

puesto, -a, *past part. of* poner; — que, since, inasmuch as; *n. m.* position

pulsera, bracelet

puntilla: de —s, on tiptoe

punto, point, part; de todo —, absolutely

punzante, sharp, keen; thrilling

puñal, *m.* dagger

puño, fist; butt (*of weapon*)

pupila, pupil (*of the eye*)

puro, -a, pure

Q

que, that, which, who, whom; than; as, since; for; no más —, only, not . . . except

¿qué?, what?; ¿— tal?, how is everything?; what do you think of that?; ¿para —?, for what reason?, why?; ¿por —?, why?; *n. m.* — dirán, gossip (*see note to P. 68:1*); con —, means

¡qué!, what!, what a!, how!

quebrantar, to break, crush

quebrar, to break

queda, curfew

quedar, to remain, stay, be left; to be; — se con, to carry out; — se para vestir santos, to be an old maid (*see note to P. 9:5-7*)

quedito, gently, quietly

queja, complaint

quejarse, to complain; lodge a complaint

quemar, to burn

querer, to wish, desire, be willing; grant; attempt; love, like

querido, -a, beloved, dear; mistress

quien, who, whom, the one who, anyone who

¿quién?, who?, whom?

quiera: por donde —, everywhere

quieto, -a, still

quinientos, -as, five hundred

quitar, to take away, take off, remove

quizás, perhaps

R

rabia, rage, anger

ración, ration, food

radiante, radiant

raíz, *f.* root; echar —, to take root

rama, branch

ramaje, *m.* foliage, branches

ramillete, *m.* bouquet

ramo, branch

ranchero, rancher

rancho, ranch

rápidamente, rapidly, quickly

rapidez, *f.* rapidity

rápido, -a, rapid, quick

rapiña, robbery, plundering

rapto, abduction; fit

raptor, *m.* abductor

raro, -a, unusual, extraordinary; *pl.* few

rasgón, *m.* opening

rasgueo, strumming

raso, satin

rastrero, -a, low, base

rasurado, -a, shaved

rato, while, time, short time

rayar, to rein in (*see note to P. 94:10*)

rayo, ray; thunder-bolt; bolt from the blue

razón, *f.* reason, word; reply; argument; con —, rightly; dar —, to make an accounting, give an account; tener —, to be right

razonar, to reason, think

reaccionario, reactionary (*see Introduction and note to P. 62:2*)

real, royal; camino —, highway; *n. m.* district, town (*see note to P. 10:22*)

realidad, reality

realizar, to realize, carry out

realmente, really

realzado, -a, enhanced

reanimado, -a, cheered, encouraged

reanudar, to renew

reaparecer, to reappear

reata, lariat

rebelión, rebellion

rebosar, to overflow (with)

rebozo, shawl, muffler

recado, present, gift

recatadamente, cautiously

recatar, to conceal

recelar, to fear, distrust, suspect

recelo, distrust, misgiving

receloso, -a, suspicious

recepción, reception

recibir, to receive

recién, recently, newly; — llegados, new arrivals

reclinar, to recline, lie

recodo, bend, turn

recoger, to gather, collect, pick up

recogido, -a, secluded

recomendación, recommendation

recomendar, to advise

recompensa, recompense

recompensar, to recompense

reconocer, to recognize; to examine; to follow

reconocido, -a, acknowledged, grateful

reconvención, reproach

recordar, to remember, recall

recorrer, to go over, go through, traverse

recostar, to lay

recua, train of pack-animals

recuerdo, memory, remembrance

recurso, resource, way

rechazar, to reject, spurn, drive away

red, *f.* net, snare

redoblar, to redouble

redondo, -a, round

referir, to relate

reflejarse, to be reflected

reflejo, reflection

reflexión, thought, reflection

reflexionar, to reflect

reforma, reform

refrescar, to refresh

refresco, refreshment; tropa de —, reinforcements

refugiarse, to take refuge

refugio, refuge

regado, -a, scattered, strewn

regalar, to present, give

regañar, to quarrel, scold

regidor, *m.* councilman

registrar, to search, examine

regocijado, -a, merry

regresar, to go back, return

regreso, return

regular, ordinary, pretty good, moderate, fair

regularmente, regularly, ordinarily, usually

rehacerse, to rally

rehusar, to refuse

reina, queen

reinar, to reign

reír, to laugh; — a carcajadas, to laugh boisterously

relación, relation, connection; acquaintance

relámpago, lightning, flash of lightning

relatar, to relate

relativo: en lo —, in that which concerns

relato, story, tale

relicario, locket (*see note to P. 13:5*)

religioso, -a, religious, sincere

relleno, -a, very full

remanso, pool, dead-water

rematar, to end

remediar, to remedy, change

remedio, remedy, cure, help; sin —, inevitably

remendar, to mend

remordimiento, remorse, regret

remover, to remove, stir up

remudar, to change

rencor, *m.* rancor, animosity

rendija, crevice, crack

rendir, to render; — culto, to worship

renombrado, -a, notorious

renombre, *m.* renown, fame

reñir, to scold, chide

reo, criminal, culprit

reparar, to notice

reparo, notice, attention; hacer — en, to pay attention to

repartir, to divide; to scatter; to deal

reparto, division of spoils

repasar, to review, go over

repentino, -a, sudden

repetir, to repeat

repique, *m.* peal

repletar, to satiate, yield abundance of

réplica, answer

replicar, to reply

reponer, to reply; recover

reposo, repose, rest

reprensión, *f.* reproof

representar, to represent

reprimir, to suppress

reproche, *m.* reproach

república, republic

repuesto, -a, *past part. of* reponer, recovered, recovering

repugnancia, repugnance

repugnante, repugnant

repulsión, repulsion

reputación, reputation

requerir, to require

requiebro, compliment

rescatar, to recover

rescate, *m.* ransom; poner a —, to hold for ransom

reserva, reserve; sin —, unreservedly, with all her heart

reservar, to hold in store, reserve

resfrío, cold (*disease*)

residir, to reside

resignación, resignation

resignarse, to resign oneself

resistencia, resistance

resistir, to resist; to endure, tolerate

resolución, determination, decision; courage; outcome

resolver, to resolve, determine

resonar, to resound, sound

respectivo, -a, respective, individual, usual

respecto, -a, in respect to, regarding

respetable, respectable

respetar, to respect

respeto, respect

respetuosamente, respectfully

respetuoso, -a, respectful

respirar, to breathe, rest

resplandor, *m.* gleam, radiance

responder, to answer, reply; — de, to answer for, reply to charges against

respuesta, reply

restablecer, to restore; — se, to recover

resueltamente, resolutely

resuelto, -a, *past part. of* resolver, resolved, resolute, determined

resultado, result

resultar, to result, turn out

resumen: en —, in short; to put it briefly, to sum up

retener, to hold

retirarse, to retire, withdraw

retiro, retirement

retraído, -a, taking refuge

retroceder, to draw back

retrospectivo, -a, retrospective

reunir, to gather

revelar, to reveal

revés, *m.* stroke, blow (*see note to P. 127:8*)

revestir, to cover

revolcarse, to toss

revolotear, to fly around

revolución, revolution; change of feeling

revolverse, to turn over, toss

revuelto, -a, *past part. of* revolver, stirred up, disordered

rezar, to pray, say (*prayers*)

rezo, prayer

ribera, bank

rico, -a, rich, wealthy

riego, irrigation

rielar, to shine, gleam

riesgo, risk, danger

rifle, *m.* rifle

rígido, -a, rigid

rigor: a todo —, at the most

rigurosamente, rigorously

rincón, *m.* corner

riña, quarrel

río, river

riqueza, riches, wealth

risa, laugh, laughter

risotada, outburst of laughter, loud laugh

risueño, -a, smiling

rival, rival

robar, to rob, steal, kidnap

robo, theft, robbery; plunder, booty

robusto, -a, robust, sturdy; full, shapely

roca, rock

rocalloso, -a, stony, covered with chips of stone

rocío, dew

rodear, to surround, encircle

rodilla, knee; caer de —s, to fall on one's knees

rogar, to beg

rojo, -a, red

romanesco, -a, romantic

romper, to break; — a, to break out

ronco, -a, hoarse

ronda, rounds, night patrol

rondar, to prowl about

ropa, clothes; — blanca, linen

ropilla, (*dim. of* ropa) clothes

rosa, rose

rostro, face

rotunda, round cluster

rozamiento, rubbing, touching

rozar, to touch

rubor, *m.* blush, bashfulness

ruboroso, -a, bashful

rudo, -a, rough, unpolished

ruego, entreaty

ruido, noise, sound

ruina, ruin

ruinoso, -a, ruinous, in ruins, dilapidated

rumbo, place, direction, part; particular

rumor, *m.* sound

rústico, -a, rustic

S

sábana, sheet

saber, to know, know how; to learn, find out

sablazo, sabre stroke

sable, *m.* sabre

sabor, *m.* zest

sabroso, -a, tasty, delicious

sacar, to take out, bring, bring out, get; to take away; — a, to resemble, take after (*see note to P. 40:14*)

saco, sack, bag

sacrificar, to sacrifice

sacrificio, sacrifice

sagrado, -a, sacred

sala, room, living room, hall

salario, salary, pay

salida, departure

salir, to come out, go out, get out, issue; — de, to leave

salón, *m.* parlour

salpicado, -a, sprinkled, dotted

saltar, to jump

salud, *f.* health, welfare

saludar, to greet; to say good-bye

saludo, greeting

salvación, *f.* saving

salvador, -a, saviour

salvaguardia, safeguard

salvaje, savage, wild

salvar, to save

San Carlos, *sugar plantation near Yautepec* (see map)

Sánchez: Martín — Chagollán, *Mexican leader of the people against the outrages of the bandits; see Chap. XXII*

saneado, -a, clear, unencumbered

sangre, *f.* blood

sano, -a, well, cured, healthful

santiguarse, to cross oneself

santo, -a, holy, blessed, sacred; Viernes —, Good Friday, *anniversary of the death of Christ;* n. saint; vestir — s, (*see note to P. 9:5–7*)

santulario, -a, devout person

saquear, to loot, pillage

sargento, sergeant

satánico, -a, satanic

satisfacción, satisfaction

satisfecho, -a, *past part. of* satisfacer, satisfied

satrapía, district

sazón, *f.* time; season

se, himself, herself, itself, oneself, yourself, yourselves, themselves; to him; to her, to it, to you, to them

sebo, tallow

secamente, drily

seco, -a, dry

secretario, secretary

secreto, secret

secuaz, *m.* follower, henchman

secundado, -a, seconded, supported

sed, *f.* thirst

seda, silk

sedoso, -a, silky

seducir, to mislead

seductor, -a, fascinating

seguida: en —, at once, immediately

seguido, -a, in succession

seguir, to follow; to continue, keep on

según, according to, as

segundo, -a, second

seguramente, surely

seguridad, security, safety

seguro, -a, certain, sure, safe

seis, six

semana, week

semblante, *m.* face, expression

semejante, such, similar, equal, this (*see note to* P. 4:13)

semejanza, likeness, resemblance; a — de, like

sencillez, *f.* simplicity

sencillo, -a, simple, plain

sendero, path

sendos, -as, one each, one apiece

seno, bosom, breast

sensación, sensation

sensatez, *f.* wisdom, good sense

sensibilidad, sensitiveness, senses

sensible, sensitive

sensitiva, sensitive plant

sensitivo, -a, sensitive

sentado, -a, seated

sentar, to seat, place; — se, to sit down

sentido, sense, meaning; direction

sentimiento, sentiment, feeling, love

sentir, to feel; to hear; to regret

seña, sign, address

señal, *f.* sign, signal

señalar, to mark; to appoint (*time*)

señor, *m.* sir, gentleman; *not translated before a title*

señora, woman, lady

señorío, lordship

señorón, *m.* important man, master

separar, to separate; — se, to withdraw, leave

sepulcral, sepulchral, grave-like

sepultado, -a, buried

sepultar, to bury

sepultura, burial

ser, to be; — de, to become of; y es (era, *etc.*) que, the fact is (was, *etc.*); *n. m.* being

sereno, -a, serene, calm

seriamente, seriously

serie, *f.* series

serio, -a, serious

serpentear, to wind, serpentine

serpiente, *f.* serpent

servicio, service

servidor, *m.* servant, slave, subject

servidumbre, *f.* service

servil, servile, menial

servir, to serve, accomplish; — de, to act as, serve as

sexo, sex

si, if, whether; why indeed; — no, if not, otherwise

sí, yes, indeed, to be sure; himself, herself, itself, oneself, yourself, yourselves, themselves (*after a prep.*)

siempre, always; como —, as usual; — que, whenever; provided that

sierra, mountain-range

siete, seven

siglo, century

significar, to signify, mean

significativo, -a, significant

siguiente, following

silbido, whistle, whistling

silencio, silence

silenciosamente, silently

silencioso, -a, silent

silvestre, wild, uncultivated

silla, chair, saddle; — de montar, saddle

simbólico, -a, symbolic

simpatía, liking, friendly feeling

simpático, -a, pleasant, nice, attractive

sin, without; — que, without; — embargo, nevertheless

sincero, -a, sincere

singular, singular, extraordinary

singularizar, to make singular

siniestro, -a, sinister

sino, but; except; — que, but; no . . . —, only

siquiera, even, at least; ni —, not even

sistema, m. system

sitiar, to surround, hem in, besiege

sitio, place

situación, situation, position

situar, to be located, be situated

so, under; — pena de, under penalty of

soberbio, -a, superb, magnificent; haughty

sobre, above, on, upon, about, over; — todo, especially

sobrepasar, to exceed

sobrepujar, to exceed, surpass

sobresalir, to overtop, appear above, project, stick out; to be conspicuous

sobresaltado, -a, startled, apprehensive

sobresalto, surprise, dread, fear

social, social

sociedad, society

socorro, help, aid

soflamero, -a, overdelicate, squeamish (see note to P. 111: 31)

sofocante, suffocating, stifling

sofocarse, to gasp for breath

sol, m. sun

solamente, only, simply

solaz, m. relaxation, comfort, peace

soldado, soldier

soledad, seclusion; Virgen de la S—, the Virgin Mary with her dead Son in her arms

solemnidad, ceremony

soler, to be accustomed

solitario, -a, solitary, empty

solo, -a, alone, deserted; single, only; a —as, alone

sólo, only, alone, just

soltar, to loose, let go, free; — se de, to let go of

sollozar, to sob

sollozo, sob

sombra, shadow, darkness, shade

sombrear, to shadow

sombrero, hat

sombrío, -a, shady, dark, gloomy

someter, to submit, subject

son, sound; fig. manner; en — de + n. = adverbial expression (see note to P. 90:2)

sonar, to sound

sonata, sonata

sondear, to sound

sonido, sound

sonreír, to smile

sonrisa, smile

soñar, to dream; — con, to dream of

sopa: hecho una —, drenched, wet to the skin

soplo, breath

soportar, to undergo, endure, stand

sordo, -a, deaf; hacerse el —, turn a deaf ear; una linterna —, a dark lantern

sorna, scorn

sorprender, to surprise, take by surprise

sorpresa, surprise

sospecha, suspicion

sospechar, to suspect
sostener, to encourage, sustain
soto, brake, grove
su, his, her, your, its, their
suavemente, gently
suave, soft, smooth
subir, to climb
súbito, -a, sudden; de —, suddenly
sublevarse, to rise in rebellion
substraerse, to get away from, free oneself from
suceder, to happen; succeed, follow; — se, to succeed each other
sucesivamente, successively
sucesivo, -a, successive, future
suceso, event
sucio, -a, dirty
sucumbir, to succumb, die
sueldo, salary, pay
suelo, floor, ground, soil
sueño, sleep, dream
suerte, f. luck, fortune, fate
sufrimiento, suffering
sufrir, to suffer, endure, stand; n. m. suffering
sujeto, subject; person; fellow
suma, sum
sumergido, -a, submerged, engrossed
sumirse, to submit
sumisión, submission
sumo, -a, highest; a lo —, at most, at best; en — a, in short; after all
superior, upper, superior
supersticioso, -a, superstitious
súplica, supplication
suplicante, supplicating
suplicar, to supplicate, beg
suponer, to suppose
supremo, -a, supreme
supuesto: — que, in case that

sur, m. south
surgir, to rise
suspirar, to sigh
suspiro, sigh; exhalar el último —, breathe one's last
susto, fright, fear, shock
suyo, -a, el suyo (la suya, etc.), his, of his, hers, of hers, yours, of yours, theirs, of theirs

T

tabernario, -a, tavern (adj.), vulgar
tabique, m. partition
taburete, m. stool, foot-stool
tacto, tact
tajo, slash (see note to P. 127:8)
tal, such, such a; con — de, provided; ¿qué tal?, how is everything?, what do you think of that?; tal vez, perhaps
talega, bag, money-bag
taller, m. shop, workshop
tallo, stem
tamaño, size; so much, such
también, also
tampoco, neither, either
tan, so; — luego como, as soon as
tanto, -a, so much, as much; pl. so many; — ... como, both ... and; — más ... cuanto que, all the more ... because
tapa-funda, holster-flap
tapete, m. rug
tardar, to delay, take time to; — en, to be long in
tarde, f. afternoon, evening; adj. late
tarea, task, work, job
tarear, to hum
te, you, to you, yourself
tecolote, (Mex.) m. owl (see note to P. 38:23)

tedio, tediousness; weariness
teja, tile; cantle (*of a saddle*)
tejado, roof
tela, web
temblar, to tremble
temer, to fear, be afraid
temerario, -a, rash, foolhardy
temeroso, -a, fearful
temible, dreadful
temido, -a, feared
temor, *m.* dread, fear
tempestad, storm, tempest
templado, -a, temperate
temporal, *m.* tempest, storm
temprano, -a, early
Tenango, *town northeast of Yautepec*
tenaz, tenacious
tender, to extend, stretch out, spread out, hold out
tener, to have; — **que,** to have to; — **razón,** to be right; — **en cuenta,** to take into account, pay heed to; **¿qué tienes?,** what is the matter with you?; — **pensado,** to plan
tentación, temptation
Tepoztlán, *mountain range northwest of Yautepec* (see map)
tercero, -a, tercer, third
terciado, -a, slung cross-wise
terminante, decisive, determined
terminar, to finish
término, end
ternura, tenderness
terreno, land, country, terrain
terrible, terrible
terrífico, -a, frightful
terror, *m.* terror
tesoro, treasure
testamento, will
Tetillas, *hills west of Yautepec* (see map)
texto, text

ti, you (*after a prep.*)
tiempo, time, weather; moment; **en otro —,** formerly; **mucho — hacía,** a long time before
tienda, shop, store
tiernamente, tenderly
tierno, -a, tender, affectionate
tierra, earth, soil, land, country· — **caliente (fría)** (*see note to P. 1:1*); **en —,** on the ground
tigre, *m.* tiger; *in Mexico* tiger-cat or jaguar
tímidamente, timidly
timidez, *f.* timidity, reserve
tímido, -a, timid
tiniebla, shade
tinta, ink
tío, uncle; *pl.* uncle and aunt
tipo, type
tirar, to throw, throw away
tiro, shot
tiroteo, shooting, shots
título, title
tocar, to touch, reach; to play; to ring; — **a,** to fall to one's share
todavía, still, yet, just
todo, -a, all, every; entire; quite, every inch; — **el mundo,** everybody; **más que —,** most of all
tomar, to take; eat, drink; — **estado,** to marry
tono, tone, shade, complexion
tontería, foolishness, nonsense, folly
tonto, -a, silly, stupid
toque, *m.* ringing; bell; — **de oración,** bell for evening prayer
toquilla, ribbon (*around the crown of a hat*)
torcer, to twist, wring
torcido, -a, distorted; bowed
tormento, torment; **dar —,** to torture

tornar, to return, go back; — se en, to become, turn into

torno: en — suyo, about her, about them; en — de, around

torre, *f.* tower

torrecilla, (*dim. of* torre) small tower

torrente, *m.* torrent

tortilla, corn-cake (*Mex.*)

tortuosamente, circuitously, winding around

tortuosidad, windings

torturado, -a, tortured, tormented

torvo, -a, grim

totalmente, entirely

trabajador, -a, workman, worker; industrious

trabajadorcito, (*dim. of* trabajador) young laborer

trabajo, work, hardship, trouble; pasar —s, to experience hardships *or* privations

trabar, to enter into

traer, to bring, wear, have, carry, bear

traje, *m.* dress, clothes, costume

tranca, door, entrance; bar to secure door; bar of gate

tranquilamente, quietly, peacefully

tranquilidad, peace of mind, tranquillity, assurance

tranquilizar, to quiet, soothe

tranquilo, -a, tranquil, still, quiet, restful, easy

transacción, compromise; entrar en —es, to make compromises

transitar, to travel, pass through

transparente, transparent

transportar, to take, move

tras, after, behind

traslucirse, to show through, show, appear

traspasar, to cross

trastornado, -a, upset, agitated

tratamiento, treatment

tratar, to treat

trato, acquaintance

través: a — de, through

travesía, crossing, passage

tregua, truce, respite; dar — a, to cease

treinta, thirty

tremendo, -a, tremendous, great; breath-taking

trémulo, -a, tremulous, quivering, shaking

trenza, braid, locks

trepadora, climber, creeper

trepar, to climb; trepado, mounted

tres, three

trescientos, -as, three hundred

tributo, tribute

trigueñito, -a (*dim. of* trigueño)

trigueño, -a, dark-complexioned

triste, sad

tristemente, sadly

tristeza, sadness, sorrow

triunfar, to triumph

triunfo, triumph; en son de — (*see note to P. 90:2*)

trompeta, trumpet

tronco, trunk

tropa, troop; *coll.* troops; — de línea, line-troops; — de refresco, reinforcements

tropel, *m.* noise, sound

tropical, tropical

trote, *m.* trot

trueno, thunder, clap of thunder

trueque: a — de, in exchange for, at the cost of

tu, your

tú, thou, you (*in familiar address*)

túnico, tunic, dress

turbar, to disturb

tuyo, -a, el tuyo (la tuya, *etc.*), your, yours, of yours

U

u, or (*used before* o *or* ho)

último, -a, last, final; **al —,** lastly; **por —,** in parting, lastly

ultrajar, to outrage, offend, insult

único, -a, only

unido, -a, united, joined, connected

uniformado, -a, uniformed

uniforme, *m.* uniform

unión: en — de, in company with

unirse a, to marry

uno, -a, un, one; *pl.* some

urgente, urgent

urraca, magpie

usar, to use, wear; **— se,** to be the custom *or* fashion

usted, you

útil, useful, helpful

V

vaciar, to empty

vacilar, to hesitate; reel, stagger

vacío, emptiness

vago, -a, vague

vaina, sheath, scabbard

vajilla: — de plata, silver ware

valer, to be worth; to have worth, be deserving; to help, give; to protect; *n. m.* worth; **¡Válgame Dios!,** Good Heavens!, Bless me!

valiente, brave

valimiento, favor; influence

valiosísimo, -a, very valuable

valioso, -a, valuable

valor, *m.* courage

valorizar, to value

valse, *m.* waltz

valle, *m.* valley

¡vamos!, come now! (*as exclamation*)

vanidad, vanity, self-love

vanidoso, -a, vain

vano: en —, in vain

vaquerillo, goatskin cover for horse (*part of saddle*)

variable, changeable

varios, -as, various, several

varonil, manly

vaso, glass

¡vaya! (*as exclamation*) Come now!, Upon my word!

vecindad, *f.* vicinity, proximity (*see note to P. 4:13*)

vecindario, neighborhood, population, populace

vecino, -a, neighbor; resident, citizen

vegetal, vegetable, of foliage

vehemencia, vehemence

veinte, twenty

veintena, score

veintidós, twenty-two

vela, candle

velar, to watch over, look out for

velo, veil

vena, vein

vencedor, *m.* conqueror, winner

vencer, to overcome, conquer

venda, bandage; neckerchief, kerchief worn around the neck by outlaws

vender, to sell

venenoso, -a, poisonous, bitter

venganza, vengeance

vengar, to avenge

vengativo, -a, vengeful

venir, to come

venta, inn

ventaja, advantage

ventajoso, -a, advantageous

ventana, window

ver, to see, look at; to stand, endure; **a —,** let's see; **— se,** to be, *see* **poder**

veras: de —, really, truly; true, serious

verdad, truth, true; **es —,** that's true

verdaderamente, truly, really
verdadero, -a, real, true
verde, green
verdoso, -a, greenish
verdura, verdure, foliage, growth
vereda, path
veredita, (*dim. of* vereda) little path
vergonzoso, -a, disgraceful
vergüenza, shame
verificarse, to take place
vertical, vertical, upright
vértigo, vertigo, dizziness, faintness, madness
vestido, dress, clothes, garment; — a, dressed
vestir, to dress; — se, to dress oneself; — santos (*see note to P. 9:5–7*)
vez, *f.* time; a — ces, at times, occasionally; a la —, at the same time; a su vez, a mi vez, in turn; de — en cuando, from time to time; de una —, right away; once for all; muchas — ces, often; unas — ces, sometimes; cada — más, more and more; tal —, perhaps
viaje, *m.* trip, journey
viajero, traveller
víbora, viper
vicio, vice
víctima, victim
vida, life, existence
viejo, -a, old; *n.* old man or woman
viento, wind
viernes, *m.* Friday; — Santo, Good Friday, *anniversary of the death of Christ*
vigía, *m.* look-out, watch, sentinel
vigilancia, vigilance
vigilante, *m.* watchman, guard
vigilar, to watch
vigilia, wakefulness

vigoroso, -a, vigorous
vilmente, basely
violencia, violence
violento, -a, violent; unnatural
virgen, *f.* virgin; — María, Virgin Mary; V— de la Soledad, *the Virgin Mary with her dead Son in her arms*
virilidad, virility, manhood
virtud, virtue
virtuoso, -a, virtuous
visita, visit
visitar, to visit
vislumbre, *f.* glimpse, glimmer
vista, sight; centinela de —, prisoner's guard; perder de —, to lose sight of
vistoso, -a, gaudy
viuda, widow
viva, *m.* shout
vivacidad: con —, quickly
vivamente, quickly
vivaz, lively, vivacious
vivir, to live; — se, to stay
vivo, -a, alive, lively, living; bright, wide-awake; sparkling, flashing; lo —, the quick
volar, to fly, hurry
voltear, to turn
voluntad, will, purpose, free will
voluntariamente, voluntarily
voluptuoso, -a, voluptuous, lustful
volver, to turn, return; — a, to do again; — en sí, to come to oneself; to recover; — se, to turn, turn around; to become
voz, *f.* voice, sound
vuelo: a —, flying; resounding
vuelta, turn; dar una —, to take a turn *or* walk; dar —, to turn, go around; to be wound around, be entwined
vulgar, ordinary, common, coarse
vulgo, crowd, common people

X

Xochimancas, *bandit stronghold near Yautepec*

Y

y, and

ya, already, now, sometime; then; — ... —, now ... now, sometimes ... sometimes; either ... or; — no, no longer

yacer, to lie

Yautepec, *village between Cuernavaca and Cuautla* (see map)

yerno, son-in-law

yo, I

yugo, yoke

Z

zacate, *m.* hay, fodder, forage

Zacatecas, *town northwest of Mexico City* (see map)

zafar, to slip away

zapotácea, sapotaceae (*family of trees of about 400 species, common in tropical regions*)

zapote, *m.* sapota tree

zarape, *m.* (*Mex.*) sarape (*a kind of blanket often used as a cape or shawl*)

zarcillo, drop-earring

Zarco, 'the Blue-Eyed One' (*nickname of the bandit leader; so named on account of his blue eyes*)

zenit, *m.* zenith

Zorra (la), the Fox (*nickname of one of the women in the bandits' lair*)

zozobra, anxiety

zumbar, to buzz

The Norton Spanish List

~~~~~~

~~~~~~

W · W · NORTON & COMPANY · INC ·
55 FIFTH AVENUE · NEW YORK 3, N. Y.